LA VIE HEUREUSE
LA BRIÈVETÉ DE LA VIE

SÉNÈQUE

LA VIE HEUREUSE
LA BRIÈVETÉ DE LA VIE

Traduit du latin par François Rosso

Suivi de la correspondance
entre Descartes et la princesse Élisabeth
sur
LA VIE HEUREUSE

arléa

ISBN 2-86959-227-2
© Mars 1995-Arléa

NOTE DE L'ÉDITEUR

Lire Sénèque

Ceux qui lisent Sénèque – hors de toute astreinte scolaire ou préoccupation laborieuse – y trouvent assez de plaisir pour ne pas en parler trop. Ils s'apparentent à une franc-maçonnerie dispersée mais dont quelques membres, parfois, se reconnaissent. Alors, c'est une manière de secret qu'ils échangent, un signe qu'ils se font, mais en catimini, comme s'il fallait ne point ébruiter l'affaire.

L'affaire ? Elle consiste en ceci : contemporain du

Christ, *malheureux précepteur de Néron, stoïcien calomnié pour s'être approché du pouvoir, Sénèque est un auteur providentiellement moderne. Si moderne en vérité que plus d'un de nos petits essais de librairie, prétendument « contemporains » et qu'accompagne d'ordinaire tout un charivari de presse, renvoient involontairement à lui. Sur l'inconstance des princes, l'inutilité de l'affairement, la vanité du « spectacle » politique – ou tout autre sujet propice aux effets de plume – Sénèque en dit plus, et mieux, en quelques lignes. A le lire davantage on s'épargnerait donc bien des agacements ou déplaisirs.*

Montaigne qui, sans relâche, fit son éloge (avec celui de Plutarque), évoque d'ailleurs le bonheur quasi voluptueux qu'il prend à lire les Opuscules *de l'un, les* Épîtres *ou* Dialogues *de l'autre. « Ils ont tous deux cette notable commodité pour mon humeur, écrit-il, que la science que j'y cherche y est traitée à pièces décousues qui ne demandent pas l'obligation d'un long travail duquel je suis incapable [...] Il ne faut pas grande entreprise pour m'y mettre ; et les quitte où il me plait [...] leur instruction est de la* crème de la philosophie, et présentée d'une simple façon et pertinente [1]. »

Fâcheusement, pourtant, les textes de Sénèque – et notamment les œuvres en prose – ne sont pas, en 1989, aussi accessibles que l'on imagine. Les éditions savantes, alourdies de notes, trop littéralement traduites (et souvent bilingues), invitent plus au travail d'érudition qu'au simple bonheur de lire. Les Œuvres complètes quant à elles, massives et coûteuses, ne laissent pas d'intimider qui les prend dans sa main. Pour cette seule raison, somme toute assez subalterne, Sénèque est tenu sinon dans l'oubli du moins dans l'inaccessible mausolée d'une révérence académique. Ah ! lui si joyeux et si vif dans ses tournures, insolent et provocateur dans ses conseils... Combien de lecteurs possibles s'en trouvent fâcheusement dissuadés ?

Un éditeur doit faire profession de partager son bonheur ; de proposer alentour ce qu'il se réjouit d'avoir, dans son coin, trouvé. Notre souci d'offrir quelques-uns des meilleurs textes de Sénèque, dans la

1. Montaigne, *Les Essais*, Livre I, chapitre 10.

9

fraîche simplicité d'une traduction nouvelle et sans commentaires superflus, procède de cette intention : donner à tous et de façon familière l'occasion d'une première rencontre avec le texte.

Les deux brefs traités (extraits des Dialogues) qu'on trouvera réunis ici se prêtent, croyons-nous, mieux qu'aucun autre à cette découverte. Le De Vita Beata (en partie mutilé) est dédié par Sénèque à son frère aîné Novatius qu'il désigne par son nom d'adoption – celui d'un rhéteur – Gallion ; il n'est pas précisément daté (sans doute vers l'an 58) mais se réfère indirectement à des épisodes précis de la vie de Sénèque. Lorsque, dans la deuxième partie, celui-ci réfute avec violence les objections qu'on opposait aux stoïciens (soupçonnés de céder aux honneurs, de succomber à la richesse, de ne point vivre, en somme, comme ils écrivent), c'est sa propre défense qu'il assure. A l'époque, en effet, Sénèque fut personnellement accusé de cupidité, d'adultère et, dirions-nous aujourd'hui, de « contradictions » par un délateur du temps, Claudius Suillius, poursuivi lui-même pour avoir « reçu des présents comme avocat ». La péri-

pétie est mince, elle s'apparente aux petites querelles médiatiques ou politiques d'aujourd'hui, mais on verra comme elle met Sénèque en verve, ce qui est bien l'essentiel.

Sur le De Brevitate Vitae on ne possède guère de renseignements plus précis ; ni sur Paulinus, le destinataire, à l'identité incertaine ; ni sur la date de rédaction (49 ou 62 ?). Pour le contenu, en revanche, on verra qu'il y est question des manières de – ou de ne pas – gaspiller sa vie en occupations futiles. La question, convenons-en, est d'aujourd'hui. On l'imaginerait aussi bien rimée par Bob Dylan que développée par Michel Serres (ce qu'il a d'ailleurs fait). Mais pour le ton, pour l'acuité, pour l'ironie mordante des suggestions, continuons donc à préférer Sénèque.

Reste à dire un mot du singulier rapprochement qu'on fait ici entre Sénèque et Descartes. Ce dernier consacra du temps – et plusieurs lettres adressées à la princesse Élisabeth – à commenter Sénèque. Il le fait avec un brin d'agacement pour ce « philosophe païen » dont la méthode lui paraît, si l'on peut dire,

11

manquer de « rigueur cartésienne » ; mais avec aussi une étrange fascination et une éloquence qui valent d'être goûtées. Or, tous ces développements réservés par Descartes à La Vie heureuse, s'ils étaient systématiquement signalés dans les éditions savantes de Sénèque, n'étaient jamais cités. On les trouvera, ici, intégralement restitués ainsi que les réponses circonstanciées de la princesse Élisabeth. On vérifiera, par la même occasion, que ces gens du XVIIe siècle, diable, ne s'écrivaient pas médiocrement.

Arléa

LA VIE HEUREUSE

Vivre heureux, ô mon frère Gallion, qui ne le désire ! mais lorsqu'il s'agit de définir ce qui rend la vie heureuse, tout le monde tâtonne ; et il est si difficile de parvenir à une vie heureuse que, pour peu qu'on prenne la mauvaise voie, on s'en éloigne d'autant plus qu'on la poursuit avec plus de fougue, car, si la nôtre nous entraîne dans une fausse direction, notre hâte même nous en écarte davantage.

Il faut, donc, déterminer d'abord à quoi nous aspirons, puis examiner comment nous pouvons y arriver le plus rapidement : nous verrons bien au cours du chemin – si toutefois nous avons choisi le bon – combien nous en abattons chaque jour, et dans quelle mesure nous approchons de ce vers quoi notre désir naturel nous pousse. Bien sûr, aussi longtemps que nous vagabondons sans autre guide que la rumeur publique et les clameurs discordantes de ceux qui nous invitent à prendre tantôt cette voie, tantôt cette autre, les errances font que notre vie s'use et s'abrège, même si jour et nuit nous travaillons à faire progresser notre âme.

Précisons donc et notre objectif, et les voies pour y parvenir – non sans l'aide d'un homme expérimenté qui ait déjà exploré le chemin où nous nous engageons. Car il est bien certain que les exigences d'un tel voyage ne sont semblables à celles d'aucun autre ; si d'habitude le tracé des routes, les questions aux habitants, évitent de se perdre, en l'occurence ce sont les sentiers les plus battus et les plus fréquentés qui égarent le mieux.

Donc, voici le premier impératif : gardons-nous bien de suivre, à la manière des moutons, le troupeau de ceux qui précèdent en allant non pas vers où il faut aller, mais simplement où vont tous les autres. Car rien n'entraîne à de plus grands malheurs que de se conformer à la rumeur publique, en estimant que les meilleurs choix sont ceux du plus grand nombre, de se laisser conduire par la multiplicité des exemples – cela parce que nous vivons non d'après la raison mais dans un esprit d'imitation. D'où cette énorme cohue de gens qui se précipitent les uns sur les autres. Ce qui se produit dans une grande bousculade, lorsque la foule s'écrase elle-même (ces paniques où personne ne tombe sans entraîner quelqu'un d'autre et où les premiers causent la perte des suivants), tu peux le voir survenir dans la vie en général : personne ne tombe dans l'erreur en ne se nuisant qu'à soi-même. On est la cause, on est responsable des errements d'autrui.

Aussi est-il néfaste d'emboîter le pas à

ceux qui nous précèdent. Comme chacun aime mieux croire que juger, lorsqu'il s'agit de la vie, on ne juge jamais, on croit toujours. Nous sommes emportés dans un tourbillon, jetés à bas d'un précipice par une erreur transmise de main en main. Nous nous mourons des exemples d'autrui ; nous guérirons à la seule condition de nous distinguer de la multitude. Mais la vérité, c'est que la foule se dresse pour défendre son propre mal. C'est pourquoi il se produit ce qui se passe dans les comices, où les électeurs mêmes des préteurs s'étonnent de les voir élus quand l'inconstante popularité a viré de bord : nous approuvons les choses mêmes que nous avions réprouvées ; c'est le sort de tout jugement rendu à la majorité des voix.

Quand nous aborderons le sujet de la vie heureuse, ne va pas me répondre comme dans ces votes où l'on penche du côté des plus nombreux : « Ce parti paraît rassembler le plus de suffrages », car c'est justement pour cela qu'il est le plus douteux. Les affaires humaines ne sont pas de telle nature, hélas, que les meilleurs choix plaisent au plus grand nombre ; et la preuve du pire, c'est la foule.

Demandons-nous donc ce qu'en vérité il vaut mieux faire et non ce qui est le plus en usage ; ce qui nous donnera la possession d'un bonheur éternel et non ce qui reçoit l'approbation du vulgaire – le plus mauvais interprète de la vérité. J'appelle vulgaire aussi bien les hommes en chlamyde que les têtes couronnées : je ne regarde pas à la couleur des vêtements qui ne font que recouvrir les corps. Je ne me fie pas à mes yeux lorsque je considère l'homme. Je dispose d'une meilleure lumière, plus sûre, pour distinguer le vrai du faux : c'est à l'âme qu'il incombe de découvrir le bien de l'âme. Si seulement celle-ci avait loisir de respirer et de faire un retour sur elle-même, oh ! combien les tortures qu'elle s'infligerait lui feraient avouer la vérité : « Tout ce que j'ai fait jusqu'à maintenant, j'aimerais mieux que cela n'eût jamais été fait. Quand je repense à tout ce que j'ai dit, j'envie les muets. Tout ce que j'ai souhaité, je l'impute à une malédiction de mes ennemis. Tout ce que j'ai redouté, dieux bons ! comme cela eût mieux valu que ce que j'ai désiré ! J'ai entretenu des inimitiés avec beaucoup et me suis réconciliée avec eux (si du moins on peut parler de réconciliation entre méchants) : mais ma propre amitié, je ne l'ai pas encore gagnée. J'ai travaillé de toutes mes forces à me distinguer de la multitude et à me faire reconnaître par quelque qualité : ai-je fait autre chose que m'exposer aux traits de mes adversaires et donner prise aux morsures de la malveillance ? Vois-tu ces gens qui font l'éloge de l'éloquence, recherchent la compagnie des riches, flattent le crédit, vantent la puissance ? Ce sont tous des ennemis actuels, ou, ce qui revient au même, virtuels. Le peuple des jaloux, c'est celui des admirateurs. Que ne cherché-je plutôt quelque bien utile que je puisse sentir et non exhiber ? Toutes ces choses que l'on contemple, devant lesquelles on s'arrête, qu'on se montre les uns aux autres avec admiration sont brillantes à l'extérieur mais, à l'intérieur, misérables. »

Recherchons un bien qui ne vaille pas par sa seule apparence, mais qui soit solide, permanent, et d'une beauté d'autant plus grande qu'elle est plus secrète. Exhumons-le. Il n'y a pas à le chercher bien loin : on le trouvera, il suffit de savoir vers quoi tendre la main. Seulement, comme il arrive dans l'obscurité, souvent on passe à côté, butant contre l'objet même de sa quête.

Mais pour ne point t'entraîner dans des détours, je ne dirai rien des opinions d'autrui : il serait trop long de les énumérer et de les réfuter. Entends la nôtre. Quand je dis « la nôtre », je ne m'enchaîne pas à l'un quelconque des maîtres stoïciens : j'ai moi aussi le droit d'émettre un avis. C'est pourquoi je suivrai tel ou tel, à tel autre je conseillerai de nuancer sa théorie, et peut-être, lorsqu'on me citera après tout le monde, n'écarterai-je rien de ce que les autres ont soutenu avant moi, mais je dirai : « Voici ce que je pense en outre. »

Au demeurant, et conformément à ce qui rassemble tous les stoïciens, je me règle sur la nature ; ne pas s'éloigner d'elle, se plier à sa loi et à son exemple, voilà la sagesse. La vie heureuse, c'est donc celle qui est en accord avec sa propre nature. On n'y peut atteindre que si l'âme est d'abord saine et en constante possession de cette santé, courageuse aussi, et énergique, ensuite magnifiquement patiente, prête à toutes les situations, attentive sans anxiété à son corps et à ce qui le concerne, intéressée enfin par toutes les ressources de la vie sans admiration pour aucune, décidée à user des présents de la fortune sans leur être assujettie. Tu comprends, sans qu'il me soit besoin de le dire, qu'une fois qu'on a chassé aussi bien ce qui nous irrite que ce qui nous effraie, il s'ensuit une tranquillité, une liberté perpétuelles, car, à la place des voluptés, des séductions mesquines et fragiles dont le seul parfum est nuisible, s'installe une joie immense, inébranlable et constante, puis la paix et l'harmonie de l'âme, sa grandeur alliée à sa douceur : tant il est vrai que toute méchanceté a sa source dans la faiblesse.

On peut aussi définir autrement le bien tel que nous le concevons : j'entends par là qu'une même théorie peut être formulée dans des termes différents. Ainsi, une même armée peut tantôt se déployer largement, tantôt resserrer étroitement ses rangs ; elle peut disposer ses ailes en demi-cercle ou former un front rectiligne. Mais sa force, de quelque manière qu'elle s'ordonne, reste identique, comme sa volonté de combattre pour le même parti. De même, la définition du souverain bien peut être soit étirée et étendue, soit condensée et contractée. Ce sera donc la même chose si je dis du souverain bien : « C'est l'âme qui dédaigne les coups du sort et se réjouit dans la vertu », ou « la force d'une âme invincible, expérimentée, paisible dans l'action, alliée à beaucoup d'humanité et soucieuse de ses semblables ». On le peut aussi définir en disant que l'homme heureux est celui pour qui il n'est rien de bon ou de mauvais hormis une âme bonne ou mauvaise : l'homme qui cultive les valeurs d'honnêteté, qui trouve son contentement dans la vertu, que les caprices de la fortune n'exaltent ni n'abattent, qui ne connaît de plus grand bien que celui qu'il se peut donner à soi-même, pour qui le plaisir véritable est le mépris des plaisirs. On peut, si l'on veut développer davantage, présenter la même idée sous tel ou tel angle sans la diminuer ni l'affaiblir : en effet, qu'est-ce qui nous interdit de dire que la vie heureuse, c'est une âme libre, élevée, intrépide, ferme, inaccessible à la crainte comme à la convoitise, pour qui l'unique bien est l'honnêteté et le mal unique l'indignité morale, et tout le reste, une futile confusion de choses qui n'enlèvent ni n'ajoutent rien au bonheur, dont le va-et-vient n'est ni au bénéfice ni au détriment du souverain bien ?

Une conviction ainsi enracinée entraînera inévitablement, qu'on le veuille ou non, une gaieté perpétuelle, une profonde allégresse qui sourd du tréfonds de l'être, puisque alors l'homme met sa joie dans ce qu'il possède et ne désire rien de plus que ce qu'il a en soi. Comment tout cela ne compenserait-il pas largement les émotions infimes, frivoles et éphémères de notre corps débile ? Le jour où l'on devient esclave de la volupté, on l'est aussi de la douleur ; tu vois à quelle triste et désastreuse sujétion sera soumis celui que possèderont tour à tour les plaisirs et les douleurs – les plus imprévisibles et les plus despotiques de tous les maîtres : il faut donc trouver une issue vers la liberté. Or, rien ne la procure excepté l'indifférence aux caprices de la fortune. Une fois acquise, elle sera l'origine de ces biens inestimables : la quiétude de l'esprit désormais en sûreté et l'élévation morale ; une fois chassées les terreurs, surgiront de la connaissance du vrai une joie immense et inaltérable, la générosité et l'épanouissement de l'âme qui la charmeront non pas en tant que biens, mais comme effets du bien qui est en elle.

Puisque j'ai commencé à traiter de ce sujet avec abondance, je dirai qu'on peut appeler heureux celui qui est exempt de désirs et de craintes grâce aux bienfaits de la raison : car les pierres et le bétail ignorent aussi la crainte et la tristesse, mais on ne saurait pourtant parler de bonheur chez ce qui n'en a pas la notion. Tu peux mettre sur ce même plan les hommes que leur esprit obtus et leur ignorance d'eux-mêmes ravalent au rang de bétail ou d'êtres inanimés. Il n'y a pas de différence entre les uns et les autres, puisque en ceux-ci la raison est absente et en ceux-là elle est faussée, et adroite seulement à leur faire du tort et à les pervertir ; car nul ne peut être déclaré heureux s'il est en dehors de la vérité.

La vie heureuse se fonde alors invariablement sur un jugement droit et assuré. Car alors, l'âme est pure et délivrée de tous les maux ; elle évite non seulement les déchirements, mais encore les piqûres d'épingle, résolue à demeurer toujours là où elle s'est établie et à défendre sa position contre la colère et les harcèlements du sort. Quant à la volupté, elle peut bien se répandre partout, se glisser par toutes les brèches, caresser l'âme de ses flatteries et employer l'une après l'autre toutes ses armes afin de suborner totalement ou partiellement notre être : quel mortel, pour peu qu'il ait gardé quelques restes de dignité humaine, voudrait être ainsi chatouillé nuit et jour et abandonner son âme pour donner tous ses soins à son corps ?

L'âme aussi, dit-on, aura ses voluptés.

Qu'elle les ait, je le veux bien : alors, s'érigeant en juge du luxe et des plaisirs, qu'elle se rassasie de tous ceux qui font habituellement les délices des sens, puis, qu'elle porte ses regards vers le passé, et, se remémorant les plaisirs abolis, s'enivre d'impressions anciennes et tende déjà vers les futures, prépare la satisfaction de ses désirs, et, tandis que le corps baigne dans ses jouissances présentes, qu'elle projette ses pensées vers les jouissances à venir ! elle me paraîtra ainsi plus misérable, car c'est folie de choisir un mal au lieu d'un bien. Nul ne peut être heureux sans la santé de l'âme, ni jouir de cette santé s'il convoite comme bien suprême ce qui doit lui faire du mal.

Heureux, donc, celui dont le jugement est droit ; heureux celui qui se contente des biens qui s'offrent à lui aujourd'hui, quels qu'ils soient, et aime ce qu'il possède ; heureux celui pour qui la raison décide de la valeur de tout ce qui lui appartient !

Ceux qui ont cru que le souverain bien résidait dans les plaisirs doivent bien voir en quel lieu vil ils l'ont placé. Aussi nient-ils que la volupté puisse être dissociée de la vertu et affirment-ils que nul ne peut vivre honnêtement sans vivre dans le plaisir, ni vivre dans le plaisir sans vivre honnêtement. Je ne vois pas comment ces tendances si contraires peuvent être combinées et réunies dans un même couple. Quelle raison, je vous prie, nous empêche de séparer la volupté de la vertu ? Apparemment, si le principe du bien est dans la vertu, ce qu'on aime et qu'on désire y plonge aussi ses racines ? Mais, si volupté et vertu étaient confondues, nous ne discernerions pas ce qui est agréable sans être honnête de ce qui au contraire est honnête mais pénible et demande à être recherché au milieu des douleurs. Ajoute encore que la volupté conduit à la vie la plus ignoble, tandis que la vertu n'admet pas de vie répréhensible et que certains sont malheureux non faute de volupté, mais, au contraire, à cause de la volupté elle-même, ce qui n'adviendrait pas si elle était étroitement mêlée à la vertu, qui, même si elle n'est pas souvent accompagnée de beaucoup de volupté, n'en est jamais privée complètement.

Pourquoi assembler des choses dissemblables, ou, pour mieux dire, opposées ? La vertu est grande, noble, royale même, invincible et infatigable ; la volupté est basse, servile, faible, périssable, et son séjour, sa demeure, ce sont les lupanars et les tavernes. Tu rencontreras la vertu au temple, au forum, à la curie, debout devant des remparts, couverte de poussière, la peau hâlée, les mains calleuses ; la volupté, le plus souvent furtive et cherchant l'obscurité, c'est aux alentours des bains, des étuves, des lieux qui redoutent la police que tu la trouveras, molle, languissante, ruisselante de vin et de parfum, pâle, ou bien fardée et embaumée comme un cadavre.

Le souverain bien est immortel, il ignore l'esquive, ne comporte ni satiété ni remords : car jamais une âme droite ne fait volte-face, ne se prend en haine ni ne change rien à sa vie, qui est la meilleure ; la volupté, au contraire, au moment même où elle charme le plus, s'éteint : son domaine n'est pas grand, aussi le couvre-t-elle vite, elle dégoûte et se flétrit après le premier élan. Il n'est point de stabilité dans ce qui est, par nature, mouvant. Aussi ne peut-il y avoir non plus de solidité dans ce qui vient et passe très vite, qui est destiné à périr par l'usage même qu'on en fait : car la volupté n'aboutit qu'au lieu où elle cesse, et au moment où elle commence elle regarde déjà sa fin.

Dirai-je que la volupté existe aussi bien chez les bons que chez les mauvais et que les âmes indignes ne trouvent pas moins de plaisir à leur dégradation que les âmes honnêtes à leur conduite élevée ? C'est pour cette raison que les anciens ont recommandé de choisir la vie la meilleure, et non la plus agréable, afin qu'à une volonté bonne et droite la volupté serve de compagne, non de guide. En effet, c'est la nature qu'on doit prendre pour guide : c'est sur elle que se règle la raison, c'est elle qu'elle consulte. C'est donc la même chose de vivre heureux et de vivre selon la nature. Voici ce que j'entends par là : si nous nous préoccupons de nos qualités corporelles et de nos aptitudes naturelles avec attention et sérénité, en les considérant comme éphémères et fugitives, si nous ne subissons pas leur servitude et ne sommes pas sous l'emprise des choses extérieures, si les gratifications accessoires du corps sont pour nous, comme dans l'armée, les auxiliaires et les troupes légères qui obéissent et ne commandent pas, alors seulement ces choses sont utiles à l'âme.

Que l'homme ne se laisse ni corrompre, ni dominer par les choses extérieures et ne place son admiration qu'en lui-même ; qu'il se fie à son courage et, préparé à toutes les éventualités, soit l'artisan de sa vie. Que sa confiance ne soit pas privée de science, ni sa science de constance : que ses décisions, une fois prises, soient définitives, que rien dans ses décrets ne puisse être biffé. On comprend, sans qu'il me faille l'ajouter, qu'un tel homme vivra dans l'harmonie et l'ordre, qu'il montrera dans ses actes une grandeur mêlée de douceur.

Que la raison cherche les excitations des sens, et, les prenant pour point de départ (car elle n'en a pas d'autres d'où faire partir son effort et prendre son essor vers le vrai), qu'elle fasse un retour sur elle-même. Car l'univers qui tout embrasse, le dieu qui le gouverne, sont aussi enclins à s'étendre vers les choses extérieures, mais pour ensuite rentrer en eux-mêmes. Que notre âme en fasse autant : quand, à la suite des sens, elle se sera étendue vers les objets extérieurs, qu'elle soit maîtresse et d'eux et d'elle-même. De la sorte, seront réalisées l'unité de son essence et la concorde entre ses facultés. Il en naîtra une raison assurée, sans dissensions internes ni hésitations dans ses jugements, ses perceptions ou ses convictions : cette raison qui, une fois qu'elle s'est organisée, accordée dans ses différents éléments et, pour ainsi dire, harmonisée, a atteint au souverain bien ; car il ne subsiste rien, en elle de mauvais, de labile, rien qui soit susceptible de la faire trébucher ou vaciller. Elle agira toujours de sa propre autorité et ignorera les accidents imprévu. Et toutes ses initiatives prendront avec facilité et assurance la direction du bien, sans tergiversations ; car la paresse et l'hésitation révèlent la lutte et l'inconstance.

Ainsi donc, tu peux professer hardiment que le souverain bien, c'est la tranquillité de l'âme ; car les vertus sont là où se trouvent entente et unité. Les dissensions, elles, relèvent des vices.

Mais toi aussi, me diras-tu, tu n'as d'autre

raison de cultiver la vertu sinon l'espoir d'en retirer un certain plaisir. Distinguons. D'abord, ce n'est pas parce que la vertu est susceptible de procurer du plaisir qu'on tend vers elle : car elle ne procure pas que le plaisir, c'est par surcroît qu'il est donné. Ce n'est pas lui qu'elle s'efforce d'atteindre, mais c'est en visant à tout autre chose qu'elle l'obtient en plus. Quand un champ a été labouré pour la moisson, quelques fleurs poussent dans ses sillons. Ce n'est pas pour ces herbettes, si agréables qu'elles soient au regard, qu'on s'est donné toute cette peine ; le semeur avait autre chose en tête, les fleurs sont apparues comme un supplément. De même, le plaisir n'est ni le prix ni la cause de la vertu, mais quelque chose qui vient en surplus. On ne la pratique pas pour s'en délecter, mais en la pratiquant, on s'en délecte aussi.

La vertu suprême réside dans le jugement et le mode d'être d'une âme supérieure qui, lorsqu'elle a accompli sa trajectoire et s'est fortifiée dans ses objectifs, a porté à la perfection le souverain bien et ne désire rien de plus : car il n'y a rien en dehors du tout, ni au-delà des fins dernières. Aussi est-ce une erreur de se demander pourquoi on recherche la vertu : cela revient à s'interroger sur quelque chose qui dépasse le suprême. Tu me demandes ce que je cherche dans la vertu ? Elle-même. Elle ne procure rien qui vaille mieux qu'elle, étant elle-même sa propre récompense. Un si grand bien n'est-il pas assez ? Quand je t'aurai dit : « Le souverain bien est l'infrangible rectitude de l'âme, sa prévoyance, sa sublimité, sa santé, sa liberté, sa concorde, sa beauté », exigeras-tu encore quelque chose de plus grand qui fonde la quête de tout cela ? Que me parles-tu du plaisir ? C'est le bien de l'homme que je cherche et non celui du ventre, qui domine surtout chez les bestiaux et les fauves.

Tu dénatures ma pensée, me rétorqueras-tu : car je ne dis pas, moi, qu'on puisse vivre agréablement sans vivre en même temps dans l'honnêteté – chose qui ne saurait arriver ni aux bêtes brutes ni à ceux qui mesurent le souverain bien à l'aune de leur nourriture. J'affirme haut et clair, me diras-tu encore, que cette vie que j'appelle agréable ne peut exister si elle n'est empreinte de vertu.

Oui certes, car qui ignore que ceux qui sont le plus repus de voluptés sont aussi les plus abrutis, que le dérèglement des mœurs abonde en plaisirs, et que l'âme même sait produire en foule toutes sortes de voluptés mauvaises ? Au premier chef, l'arrogance, la présomption, l'orgueil qui fait qu'on se croit au-dessus de tout le monde, et puis un amour aveugle et irraisonné de ce qu'on possède, des jouissances débordantes, des joies exultantes tirées de simples mesquineries et de puérili-tés, et encore le persiflage, la vanité qui prend plaisir aux affronts, et la paresse, et la dissolution d'une âme indolente qui s'endort en elle-même. Tout cela, la vertu le secoue. Elle réveille en tirant l'oreille et examine les voluptés avant de les admettre. En agrée-t-elle quelques-unes qu'elle n'en fait pas grand cas ; de toute manière, elle ne les admet qu'avec précaution et la satisfaction qu'elle en tire n'est pas d'en jouir mais de les tempérer. Quand la tempérance diminue, le souverain bien en souffre. Toi, tu embrasses la volupté, moi, je la bride ; tu en jouis, j'en use ; tu la tiens pour le souverain bien, et moi pas même pour un bien ; tu fais tout pour la volupté, moi, rien.

Quand je dis que je ne fais rien pour la volupté, c'est du sage véritable que je parle, le seul à qui tu concèdes le droit à la volupté. Je n'appelle pas sage celui qui est dominé par quelque chose, à plus forte raison par la volupté : car, s'il est sous son emprise, comment tiendra-t-il bon devant le malheur, le danger, la pauvreté et toutes les menaces qui grondent autour de la vie humaine ? Comment supportera-t-il la vision de la mort, les souffrances, le fracas du monde et tant d'ennemis opiniâtres, quand il est vaincu par un si mol adversaire ? Tout ce que la volupté lui conseillera, il le fera. Allons, ne vois-tu pas la foule de conseils qu'elle va lui prodiguer ? Elle ne pourra rien lui conseiller de déshonorant, me diras-tu, puisqu'elle est unie à la vertu. Mais ne vois-tu pas, encore une fois, ce qu'est un souverain bien qui a besoin d'un gardien pour rester le bien ? Et la vertu, comment gouvernera-t-elle la volupté si elle marche à sa suite, puisque suivre est le propre de celui qui obéit et que gouverner appartient au chef ? C'est le chef que tu mets derrière. Le glorieux rôle qu'a chez vous la vertu : goûter préalablement aux voluptés !

Mais nous verrons si, chez ceux qui la traitent de manière si dégradante, la vertu est encore la vertu ; elle qui ne peut garder son nom en cédant du terrain. Pour le moment

– puisque c'est de cela que nous parlons – je vais te montrer beaucoup de gens assiégés par les voluptés, sur lesquels la fortune a déversé tous ses dons, et que tu seras forcé de déclarer mauvais. Regarde Nomentanus et Aspicius, digérant les biens de la terre et de la mer – comme il les appellent – et reconnaissant sur leur table toutes les espèces de gibiers. Vois-les qui, se prélassant dans des amoncellements de roses, contemplent les plaisirs préparés pour leurs orgies et enchantent leurs oreilles de la voix des chanteurs, leurs yeux de visions, leurs palais de saveurs. Leur corps entier est excité par de douces et suaves chaleurs, et, pour qu'en même temps leurs narines ne soient pas frustrées, on imprègne de fragrances variées ce lieu où l'on sacrifie aux joies des sens. Tu admettras qu'ils baignent dans les voluptés, mais qu'au demeurant cela ne contribuera pas à leur bonheur, car ce n'est pas le bien qui fait leur joie.

Ils s'en trouveront mal, dis-tu, parce que beaucoup de circonstances surgiront pour troubler leur esprit et que leurs opinions contradictoires jetteront l'inquiétude dans leur âme. Je reconnais que c'est vrai ; pourtant ces sots, ces inconstants qui s'exposent à la violence du repentir, jouiront d'intenses voluptés ; il te faut donc bien admettre qu'ils sont aussi loin de tout chagrin que du bon sens, et, ce qui arrive souvent, que leur folie est gaie et qu'ils délirent dans la joie. Au contraire, les voluptés des sages sont paisibles, modérées, presque affaiblies, intériorisées et à peine perceptibles. C'est parce qu'elles arrivent sans être appelées, et que même venues d'elle-mêmes elles ne sont point honorées ni accueillies avec exultation par ceux qui les éprouvent. En effet, ils les mêlent à leur vie, les y intercalent comme le jeu et le divertissement entre les affaires sérieuses.

Qu'on cesse donc d'associer des notions

incompatibles comme la volupté et la vertu, car avec cette théorie vicieuse on flatte les plus dépravés. L'homme qui s'abîme dans les voluptés, éructant sans cesse, pris de boisson, sachant qu'il vit dans la volupté, croit vivre aussi dans la vertu : il entend dire que volupté et vertu ne peuvent être séparées, alors, il inscrit « sagesse » par-dessus ses vices et fait étalage de ce qu'il devrait cacher. Ainsi, ces gens ne s'abandonnent pas à la débauche poussés par Épicure, mais, livrés aux vices, ils cachent leur débauche dans le sein de la philosophie et courent partout où ils entendent qu'on fait l'éloge de la volupté. Ils ne considèrent pas ce que la volupté selon Épicure a (du moins à mon sentiment) de sobre et de sec, mais son nom seul les fait voler à la recherche d'un défenseur de leurs débordements, et d'un voile qu'ils puissent jeter sur eux. De la sorte, ils perdent le seul bien qu'ils possédaient au milieu de leurs maux : la honte de la faute ; car ils louent ce dont ils rougissaient et se font une gloire de leurs vices. Aussi n'est-il même pas possible à la jeunesse de se corriger, puisqu'un titre honorable vient parer un avachissement honteux. Voilà pourquoi cet éloge de la volupté est pernicieux ; car les préceptes de l'honnêteté sont cachés, tandis que ceux de la corruption apparaissent au grand jour.

Je suis pour ma part d'avis (je l'avoue en dépit de ceux qui partagent par ailleurs ma philosophie) que les enseignements d'Épicure sont vénérables et justes, et, si l'on y regarde de plus près, austères ; car la volupté y est réduite à un rôle minime et insignifiant : ce que nous appelons, nous, la loi de la vertu, lui l'appelle la loi de la volupté : il lui commande d'obéir à la nature. Seulement, ce qui suffit à la nature n'est pas assez pour la débauche. Qu'est-ce à dire ? Que tous ceux qui nomment bonheur une oisiveté paresseuse alliée aux plaisirs alternés de l'estomac et de la chair recherchent une autorité respectable pour justifier leur indignité, et qu'en s'y précipitant, à l'appel d'un nom flatteur, ils se vouent à la volupté non point telle qu'ils l'ont entendu enseigner, mais telle qu'ils l'ont apportée avec eux ; et lorsqu'ils ont commencé de croire leurs propres vices conformes aux préceptes, ils s'y adonnent non pas timidement et discrètement, mais se débauchent dès lors au grand jour. C'est pourquoi, à la différence de la plupart de nos philosophes, loin de dire que la secte d'Épicure professe une doctrine de turpitudes, j'affirme ceci : elle a mauvaise réputation, on la taxe d'infamie, et c'est immérité. Qui peut la comprendre s'il n'y est pas vraiment initié ? C'est sa façade qui donne lieu aux calomnies et encourage les désirs mauvais. C'est comme un homme de cœur revêtu d'une robe : sa pudeur est sans tache, sa virilité intacte, son corps exempt de passions honteuses, mais il porte à la main un tambourin. Qu'on lui choisisse donc un titre honorable, une appellation qui stimule l'esprit : ceux qui la désignent n'ont fait venir vers elle que les vices.

Quiconque tend vers la vertu témoigne d'un noble caractère ; celui qui suit les appels de la volupté paraît sans énergie, amolli, on le voit déchoir de sa qualité d'homme, destiné à finir dans l'avilissement si quelqu'un ne lui montre ce qui distingue entre elles les voluptés, afin qu'il sache lesquelles n'outrepassent pas un désir naturel et lesquelles vous entraînent dans un précipice et sont d'autant plus inassouvissables qu'on cherche à s'en rassasier davantage.

Allons ! que la vertu prenne les devants, nos pas seront toujours plus sûrs. Trop de volupté nuit. Dans la vertu, il n'y a pas à redouter l'excès, car c'est en elle-même que réside la mesure ; ce n'est pas un bien que ce qui souffre de sa grandeur. De surcroît, que proposer de mieux que la raison à ceux auxquels le sort a donné une nature raisonnable ? Et si cette union plaît, si l'on se plaît à progresser vers une vie heureuse en compagnie, que la vertu marche la première et que la volupté soit sa compagne et suive le corps comme une ombre ! Livrer la vertu – le bien suprême entre tous – à la servitude de la volupté, serait le fait d'une âme incapable de rien concevoir d'élevé. Que la vertu prenne les devants, qu'elle porte les enseignes ! Nous n'en aurons pas moins la volupté, mais nous saurons la maîtriser et la tempérer. Elle pourra parfois nous fléchir ; nous contraindre, jamais. Au contraire, ceux qui ont abandonné les rênes à la volupté sont privés et de celle-ci et de la vertu : car ils perdent la vertu sans jouir de la volupté ; c'est la volupté qui les possède. Quand elle leur fait défaut, ils sont au supplice ; quand ils en jouissent à satiété, elle les étouffe : malheureux si elle leur manque, plus malheureux encore si elle les écrase. Ainsi ceux qui s'égarent dans la mer des Syrtes sont-ils tantôt jetés sur le sable, tantôt entraînés par les flots impétueux. Voilà ce que produisent une intempérance sans bornes et un amour aveuglé par son objet ; car pour celui qui recherche le mal au lieu du bien, la réussite présente bien des périls.

Difficile et dangereuse est la chasse aux fauves, et même, une fois capturés, il est malaisé de les garder en sa possession, car bien souvent ils déchirent leurs maîtres. De même, ceux qui jouissent de grandes voluptés aboutissent à un grand malheur, car, une fois conquises, les voilà qui s'emparent d'eux ; et il est d'autant plus petit et asservi à d'autant plus de maîtres qu'elles sont plus grandes et plus nombreuses, celui que le vulgaire appelle « heureux » !

Qu'il me soit permis de m'attarder encore sur cette comparaison. Celui qui se met en quête du gîte des bêtes sauvages, attachant un grand prix à « prendre les fauves dans ses rets » et à « cerner de chiens les vastes clairières », délaisse, pour suivre leurs traces, des tâches bien plus estimables et renonce à bien des devoirs ; de même, celui qui poursuit la volupté lui sacrifie tout et pour commencer sa liberté. Voilà le prix qu'il paie pour satisfaire son ventre. Il n'achète pas la volupté, il se vend à la volupté.

Qu'est-ce qui empêche pourtant, dira-t-on, de confondre en un tout vertu et volupté, et d'édifier le souverain bien de manière à en faire une chose à la fois honnête et agréable ? C'est qu'il ne peut exister d'autre aspect de l'honnête en dehors de l'honnête lui-même, et le souverain bien perdra son intégrité s'il se trouve en lui quelque chose qui ne s'assimile pas au meilleur. Même la joie que fait naître la vertu, quoique elle soit un bien, ne fait pas partie du bien absolu, non plus que l'allégresse et la tranquillité, malgré la beauté de leurs origines ; car si ce sont là des biens, ce ne sont que des conséquences et non des accomplissements du souverain bien. Celui qui associe vertu et volupté, fût-ce sans les tenir pour égales, émousse par la fragilité de l'une tout ce qu'il y a de vigueur dans l'autre et impose un joug à cette liberté invincible seulement s'il n'existe rien de plus précieux qu'elle. Car si c'est le cas, elle commence (et il n'est pas de plus grande servitude) à être tributaire de la fortune. Que s'ensuit-il ? Une vie inquiète, soupçonneuse, tremblante, soucieuse des accidents, suspendue aux mutations de l'existence. Tu ne donnes pas à la vertu un fondement solide, tu veux l'édifier sur un terrain instable ; en effet, qu'y a-t-il de plus instable que l'attente des hasards et les changements du corps et de ce qui l'affecte ? Comment obéir à la divinité et faire face d'une âme égale à tous les événements, sans se plaindre du sort et en prenant ses malheurs avec philosophie, si l'on est ébranlé par les moindres piqûres du plaisir ou de la douleur ? On ne sera même pas un bon défenseur de la patrie ni un garant de sa liberté, pas davantage un bon soutien pour ses amis, si l'on penche du côté de la volupté.

Que le souverain bien s'élève donc jusqu'en un lieu d'où aucune force ne puisse l'arracher, auquel n'aient accès ni la douleur, ni la convoitise, ni la crainte, ni aucun autre sentiment de nature à porter atteinte à ses droits. Or, seule la vertu peut s'élever jusque-là. Sa progression doit rendre la pente moins abrupte. Elle restera ferme, supportera tous les événements non pas seulement en les subissant, mais en les acceptant, consciente que toutes les difficultés sont une loi de la nature. Comme un bon soldat, elle supportera ses blessures, comptera ses cicatrices ; percée de traits, elle mourra en aimant le chef pour qui elle tombe. Elle aura présent à l'esprit ce vieux précepte : « Suis ton dieu. » Celui qui se plaint, pleure et gémit est contraint d'obéir de force ; il n'en est pas moins, malgré lui, amené à exécuter les ordres. Quelle folie de se laisser traîner plutôt que de suivre ! Et, ma foi, il y a une égale sottise, une égale ignorance de notre condition à se lamenter à cause de quelque manque ou de quelque accident un peu pénible, et à s'étonner et s'indigner de ce qui arrive aux bons aussi bien qu'aux méchants : j'entends les maladies, les deuils, les infirmités et autres disgrâces que nous rencontrons sur le parcours de l'existence humaine. Tout ce que la constitution de l'univers nous astreint à souffrir, endurons-le en faisant preuve de grandeur d'âme. Nous sommes engagés à supporter ce qui est propre à notre condition de mortels, et à ne point nous laisser troubler par ce qu'il n'est pas en notre pouvoir d'éviter. Nous sommes nés dans un royaume : obéir à la divinité, voilà la liberté.

Donc, c'est sur la vertu que s'édifie le véritable bonheur. Cette vertu, que te conseillera-t-elle ? De ne pas tenir pour un bien ou pour un mal ce qui ne sera pas un effet de ta vertu ou de ta corruption. Ensuite, que ni les assauts du mal ni les conséquences du bien ne puissent te faire changer, afin que, dans la mesure où cela est permis, tu imites la divinité. Que te promet-elle en récompense de cette entreprise ? D'immenses privilèges, égaux à ceux des dieux : rien ne te contraindra, rien ne te manquera. Tu seras libre, à l'abri, préservé. Tu ne tenteras rien en vain, tu ne seras entravé par rien. Tout cédera devant tes avis, rien ne te sera contraire, ni ne se produira contre tes vœux et ta volonté. Comment ? La vertu suffit pour vivre heureux ? Eh ! comment ne suffirait-elle pas, parfaite et divine comme elle est, comment ne serait-elle pas plus que suffisante ? Qu'est-ce qui peut manquer à l'homme qui s'est placé hors de tous les désirs ? De quelle ressource extérieure peut avoir besoin celui qui a réuni en lui tous ses biens ?

Pourtant, celui qui recherche la vertu, même s'il a beaucoup avancé, a besoin d'une certaine clémence de la fortune, tant qu'il se débat au milieu des affaires humaines et dénoue ce nœud ou toute attache mortelle. Quelle est donc la différence ? C'est que certains sont étroitement bridés, ligotés, enchaînés même. Celui qui a progressé vers des degrés supérieurs, qui s'est élevé plus haut, traîne une chaîne plus lâche : il n'est pas encore libre, mais c'est déjà presque comme s'il l'était.

Si donc quelqu'un de ceux qui aboient contre la philosophie lançait sa diatribe habituelle : « Pourquoi tes paroles sont-elles plus courageuses que ta vie ? Pourquoi baisses-tu le ton devant un supérieur, tiens-tu l'argent pour un instrument nécessaire, es-tu troublé lorsque tu subis un dommage, verses-tu des larmes en apprenant la mort d'une épouse ou d'un ami, estimes-tu la renommée et te laisses-tu émouvoir par des propos malveillants ? D'où vient que tes domaines à la campagne sont plus cultivés que ne l'exige une exploitation naturelle ? Que tu ne dînes pas conformément à tes principes ? Pourquoi posséder ce mobilier si élégant ? Pourquoi boit-on chez toi un vin plus vieux que toi ? A quoi bon une volière ? Une plantation d'arbres qui ne te donneront que de l'ombre ? Pourquoi ta femme porte-t-elle aux oreilles les revenus d'une riche maison ? Pourquoi ces robes précieuses dont tes enfants sont vêtus ? Pourquoi est-ce chez toi un art que le service de la table, et l'argenterie, au lieu qu'on la dispose au hasard et comme cela se trouve, pourquoi est-elle l'objet de l'attention d'esclaves habiles ? Pourquoi disposes-tu d'un maître à découper les viandes ? » Ajoute encore, si tu veux : « Pourquoi as-tu des domaines outre-mer, et plus nombreux que tu ne le sais toi-même ? C'est une honte : Tu es assez négligent pour ne pas connaître le peu d'esclaves que tu possèdes, ou assez fastueux pour en avoir trop pour que la mémoire puisse en retenir le nombre ! » Je renchérirai sur ces blâmes, et me reprocherai à moi-même plus de choses que tu ne penses ; mais pour le moment, voici ce que je te réponds : « Je ne suis pas un sage véritable et, je donne cet aveu en pâture à ta malveillance, je ne le serai jamais. Exige donc de moi, non que je sois l'égal des meilleurs, mais que je vaille mieux que les méchants. Il me suffit d'ôter chaque jour quelque force à mes vices et de châtier mes égarements. Je ne suis pas parvenu à la guérison, je n'y parviendrai même jamais. Je compose pour ma goutte des calmants plutôt que des remèdes, content si les crises sont plus rares et les élancements moins violents : car si je compare mes pieds aux vôtres, moi, infirme, je suis un coureur. » Cela, je ne le dis pas pour moi (car je suis abîmé dans tous les vices), mais au nom de celui qui a déjà accompli quelque chose.

Tu parles d'une façon, me rétorqueras-tu, et tu vis d'une autre. Cette objection, ô individus malintentionnés et ennemis des plus vertueux, a été faite à Platon, à Épicure, à Zénon ; car tous ont dit non pas comment ils vivaient eux-mêmes, mais comment ils auraient dû vivre. C'est de la vertu et non de moi que je parle, et quand je blâme les vices, ce sont les miens que je blâme en premier. Quand j'en serai capable, je vivrai comme il convient. Votre malignité, malgré tout le venin dont elle est imprégnée, ne me détournera pas des modèles les plus élevés ; même ce poison que vous répandez sur les autres et dont vous vous faites vous-mêmes périr ne m'empêchera pas de louer non la vie que je mène, mais celle que je sais qu'il faut mener, d'adorer la vertu et de la suivre en rampant très loin derrière elle.

Devrais-je m'attendre à ce que quelque chose reste hors d'atteinte de la malveillance, elle qui n'a jugé sacrés ni Rutilius ni Caton ? Faut-il se soucier de ne pas paraître trop riche à des gens pour qui Démétrius le Cynique n'est pas assez pauvre ? Cet homme si rigoureux, qui a combattu tous les instincts de la nature, plus pauvre que tous les autres cyniques puisqu'eux se sont interdit de posséder quand lui s'est même défendu de demander, ils déclarent que son indigence n'est pas assez profonde ! Pourtant, tu le vois : il n'a pas fait profession d'embrasser la vertu, mais la pauvreté.

Diodore, le philosophe épicurien, s'est suicidé voici quelques jours ; on dit qu'il n'a pas agi suivant les préceptes d'Épicure en se tranchant la gorge. Les uns veulent voir dans son acte un accès de démence, les autres de l'aveuglement. Pourtant, cet homme heureux et habité d'une conscience pure s'est rendu à lui-même témoignage en quittant la vie ; il a loué la quiétude des jours qu'il a passés au port et à l'ancre et dit cette phrase que vous avez entendue à contrecœur, comme si vous étiez obligés de suivre son exemple : « J'ai vécu, et j'ai suivi le parcours que le sort m'avait assigné. »

Vous discutez de la vie de l'un, de la mort de l'autre, et en entendant le nom de certains hommes dont un mérite particulier a fait récompenser la grandeur, vous aboyez comme des roquets quand ils rencontrent des inconnus. Cela fait votre affaire que personne ne paraisse un homme de bien, comme si la vertu d'autrui était une dénonciation de vos fautes à tous. Vous comparez avec envie les splendeurs qui les honorent à votre propre crasse sans comprendre combien votre jalousie vous porte tort à vous-mêmes. Car si ceux qui recherchent la vertu sont avides, envieux, ambitieux, qu'êtes-vous donc, vous, qui haïssez jusqu'au nom de la vertu ? Vous prétendez qu'ils n'agissent pas conformément à leurs paroles, qu'ils ne vivent pas suivant les préceptes de leurs discours ; quoi d'étonnant, si leurs paroles sont courageuses, élevées et dominent toutes les tempêtes humaines ? S'ils ont du mal à s'arracher à leur croix – à laquelle chacun de vous se fixe lui-même avec ses propres clous ! – pourtant, leur supplice n'est rien de plus qu'un pal. Ceux qui n'ont l'esprit tourné que vers eux-mêmes sont écartelés par autant de croix qu'ils ont de convoitises. Ils sont médisants et n'ont d'intelligence que pour insulter autrui. Je vous croirais exempts de ces travers, si je ne voyais des gens cracher du haut de leur gibet sur ceux qui les regardent.

La conduite des philosophes n'est pas conforme à leurs paroles ? Mais c'est déjà une « conduite » de grande importance et d'une haute valeur que leurs paroles et les conceptions de leurs âmes élevées : car si leurs actes étaient aussi grands que leurs paroles, qui y aurait-il de plus heureux que ces hommes ? Il n'y a pas de raison de mépriser les propos vertueux et les cœurs pleins de bonnes pensées. Les méditations salutaires, fussent-elles sans résultat immédiat, sont une occupation louable. Quoi d'étonnant si l'on ne parvient pas au sommet lorsqu'on s'engage sur des pentes escarpées ? L'homme véritable se doit d'admirer, même lorsqu'ils chutent, ceux qui entreprennent de grands efforts. La noblesse, c'est de se mesurer non aux forces qu'on sent en soi, mais à celles que comporte sa nature, d'essayer de monter au plus haut et de viser à des accomplissements impossibles même aux âmes les plus grandes.

Celui qui s'est donné les objectifs suivants : « Moi, j'aurai le même visage lorsque je verrai la mort en face que lorsque j'en entends parler. Je me soumettrai à tous les labeurs, même aux plus pénibles, car l'âme est le soutien du corps. Je mépriserai également les richesses et leur absence, et ne serai ni plus triste si elles sont chez les autres, ni plus fier si leur splendeur m'environne. Je ne sentirai pas venir ou fuir la Fortune. Je regarderai toutes les terres comme miennes et les miennes comme celles de tous. Je vivrai avec la conscience que je suis né pour les autres et j'en rendrai grâce à la nature : comment, en

effet, aurait-elle pu mieux protéger mon intérêt ? Elle m'a donné, moi seul, à tous, et à
moi seul elle a donné tous les autres. De tout
ce que j'aurai, je ne ferai ni objet d'avarice
sordide, ni gaspillage. Je n'aurai jamais tant
l'impression de posséder que lorsque j'aurai
donné à bon escient. Je ne mesurerai les
bienfaits ni à leur nombre, ni à leur poids,
mais seulement à l'estime que j'aurai pour
leur bénéficiaire ; jamais ce ne sera trop à
mes yeux, pour celui qui en est digne. Je ne
ferai rien pour l'opinion, tout selon ma
conscience. Je saurai que tout arrive sous les
regards de la foule, mais que c'est moi seul
qui serai conscient. Je n'aurai d'autre but en
mangeant et en buvant que de répondre aux
nécessités naturelles, non de me remplir le
ventre et de le vider. Je serai agréable à mes
amis, conciliant et indulgent pour mes ennemis. Je céderai avant qu'on m'en prie et irai
au-devant des demandes honnêtes. Je saurai
que le monde est ma patrie et que les dieux le

gouvernent ; qu'ils sont au-dessus et autour de moi, censeurs de mes actes et de mes paroles. Et quand la nature éteindra mon souffle ou que ma raison me le fera rendre, je m'en irai en me portant le témoignage que j'ai aimé une conscience pure, des intérêts honorables, que la liberté d'aucun n'a été amoindrie par ma faute, et surtout pas la mienne. » – Celui qui se donne ces buts, veut les réaliser et s'y emploie, fera son chemin vers les dieux ; oui, celui-là, même s'il n'a pas réussi,

il aura succombé à de nobles efforts.

Pour vous, haïr la vertu et celui qui la cultive n'a rien d'extraordinaire. Les yeux malades redoutent le soleil, les animaux nocturnes fuient l'éclat du jour et, dès qu'il se lève, restent interdits puis gagnent de tous côtés leurs tanières ou se réfugient dans quelque abri, effrayés par la lumière. Gémissez, exercez votre triste langue à insulter les hommes de bien ! Montrez les crocs, mordez : vous vous briserez les dents bien avant de laisser une empreinte.

Pourquoi Untel est-il adepte de la philosophie et passe-t-il sa vie dans une telle opulence ? Pourquoi déclare-t-il les richesses viles et en possède-t-il ? Il tient la vie pour méprisable, et pourtant il vit ? La santé pour méprisable aussi, et pourtant il protège la sienne avec le plus grand soin et la préfère excellente ? Il juge l'exil un vain mot, et dit : « Changer de pays, quel mal est-ce donc ? », et pourtant, s'il le peut, c'est bien dans sa patrie qu'il vieillira ? Il considère qu'il n'y a aucune différence entre une existence brève ou longue, et néanmoins, si rien ne l'en empêche, il prolonge la sienne, et, très âgé, il garde tranquillement sa verdeur ?

Il dit que toutes ces choses doivent être dédaignées, oui, mais non pas pour ne les point posséder : c'est pour les posséder sans inquiétude ; il ne les chasse pas, mais quand elles s'éloignent il les regarde partir sans trouble. Où la fortune trouvera-t-elle un dépôt plus sûr de ses biens qu'auprès de celui à qui elle pourra les reprendre sans qu'il se plaigne ? Marcus Caton, quand il faisait l'éloge de Curius et de Concurianus et de ce siècle où les censeurs s'élevaient contre ceux qui détenaient quelques lamelles d'argent, possédait pour sa part quatre millions de sesterces, moins sans doute que Crassus mais plus que Caton le Censeur. Si l'on compare, il l'emportait sur son bisaïeul plus que sur Crassus, et si une fortune plus grande lui était échue, il ne l'eût pas dédaignée. Car le sage ne se sent pas indigne des dons du sort. Il n'est pas épris des richesses, mais il préfère en avoir. Il ne les accueille pas dans son âme, mais dans sa maison. Il ne rejette pas celles qu'il possède, mais en est le maître et veut qu'elles procurent à sa vertu une plus grande matière à s'exercer.

Car peut-on douter que le sage n'ait plus

d'occasions de déployer les qualités de son âme dans la richesse que dans la pauvreté ? Dans celle-ci, il n'y a qu'un genre de vertu à pratiquer : ne pas fléchir ni tomber dans l'accablement ; parmi les richesses, la tempérance, la générosité, le discernement, l'économie, la libéralité ont le champ libre pour s'exercer. Le sage ne se méprisera pas s'il est de petite taille : il préférera cependant être de belle stature. Même s'il est de faible constitution ou s'il a perdu un œil, sa valeur n'en sera pas moindre : il aimera mieux pourtant posséder un corps robuste, sans ignorer pour autant qu'en lui quelque chose compte davantage. Il supportera une mauvaise santé, mais la préférera bonne. Car certains privilèges, même si au regard de l'essentiel ils sont d'importance minime et peuvent nous être retirés sans ruiner le souverain bien, ajoutent cependant quelque chose à la joie perpétuelle qui naît de la vertu. Les richesses procurent au sage la même gaieté qu'au navigateur un vent favorable qui le pousse, ou qu'une belle journée, un lieu ensoleillé au milieu des brumes et des frimas.

Au reste, qui, parmi les sages (je parle des nôtres, pour qui le seul bien est la vertu), nie que ces avantages que nous appelons indifférents aient un certain prix en soi et que les uns vaillent mieux que les autres ? On accorde à certains d'entre eux un peu d'honneur, à d'autres beaucoup. Ne t'y trompe pas, les richesses sont au nombre de ces avantages préférables ! Pourquoi te moquer de moi, diras-tu, si elles ont chez toi la même place que chez moi ? Veux-tu savoir en quoi elles n'ont pas la même place ? Si de chez moi les richesses disparaissent, elles n'emporteront qu'elles-mêmes ; si toi, tu perdais tes richesses, tu resterais stupéfait et il te semblerait que tu t'es perdu toi-même. Chez moi, les richesses occupent une certaine place ; chez toi, la plus haute. En un mot, mes richesses m'appartiennent, toi, tu appartiens à tes richesses.

Cesse donc d'interdire aux philosophes d'avoir de l'argent : personne n'a condamné la sagesse à la pauvreté. Le philosophe pourra posséder une fortune considérable ; mais elle n'aura été enlevée à personne ni souillée du sang d'autrui ; elle sera acquise sans qu'aucune injustice ait été commise envers quiconque et sans profits sordides. Elle sera léguée aussi honorablement qu'elle aura été gagnée et personne ne se plaindra qu'elle existe, hormis les malveillants. Tu peux l'accroître autant que tu voudras : elle est parfaitement honorable, si, avec maintes choses que chacun voudrait dire siennes, il n'y a rien en elle que quelqu'un puisse dire sien.

Le sage ne repoussera pas les bienfaits de la fortune ; il ne se glorifiera pas plus qu'il n'aura honte d'un patrimoine acquis par des moyens honnêtes. Il aura même lieu d'être fier si, ouvrant sa maison et laissant voir sa fortune à toute la ville, il peut dire : « Ce que chacun reconnaît comme lui appartenant, qu'il l'emporte. » Le grand homme, l'excellent riche, si, après ces paroles, il possède toujours autant ! Voici ce que je dis : s'il s'expose sans crainte et en toute sûreté aux investigations de la foule, si chez lui personne ne trouve rien à lui réclamer, alors il sera en droit d'être riche en toute franchise et aux yeux de tous. Le sage ne laissera franchir son seuil à aucun denier indigne d'entrer dans sa maison ; mais de grandes richesses – présents de la fortune et fruits de la vertu –, il ne les rejettera ni ne les chassera. Pourquoi, en effet, leur refuserait-il la place qu'elles méritent chez lui ? Qu'elles viennent, qu'elles reçoivent l'hospitalité. Il n'en fera pas étalage ; il ne les dissimulera pas non plus (dans le premier cas, il serait un sot, dans le second un poltron et un pusillanime qui s'imagine cacher en son sein un grand bien) ; mais, comme je l'ai dit, il ne leur interdira pas sa maison. Que devrait-il leur dire en effet ? « Vous êtes inutiles », ou « je ne sais pas faire usage des richesses » ? De même qu'il pourra voyager à pied mais préférera se servir d'un véhicule, de même, s'il est pauvre mais peut devenir riche, il n'en fera pas fi.

Il aura donc une fortune, mais la tiendra pour légère et susceptible de s'envoler. Il ne souffrira pas qu'elle soit pesante ni à lui-même, ni à quiconque. Il donnera... Pourquoi tendez-vous l'oreille ? Pourquoi ouvrez-vous votre bourse ? Il donnera aux gens de bien, ou à ceux dont il pourra faire des gens de bien ; il donnera avec le plus grand discernement en choisissant les plus dignes destinataires de ses dons, en homme conscient qu'il faut rendre compte tant de ses dépenses que de ses gains. Il donnera pour des motifs justes et compréhensibles, car c'est un don mal placé que de gaspiller ses biens pour qu'il en soit fait un honteux usage : il aura la bourse facile, mais non percée ; beaucoup d'argent en sortira, rien n'en tombera.

Celui qui croit que donner est chose aisée se trompe : cet acte présente un grand nombre de difficultés, si l'on veut distribuer avec discernement, et non dissiper ses biens au hasard ou au gré des impulsions. J'oblige celui-ci, je rends à celui-là ; à l'un je porte secours, d'un autre je prends pitié, à un troisième, parce qu'il en est digne, je donne des armes contre les déchéances et l'asservissement de la pauvreté. A certains, je ne donnerai rien, malgré leur gêne, parce que même si je leur donne ils seront encore et toujours dans la gêne. A certains je proposerai, à d'autres j'imposerai même. En ce domaine, je ne puis me montrer négligent : je ne sers jamais mieux mon intérêt que lorsque je donne.

Quoi ! diras-tu, alors, tu donnes pour recevoir ? Pas du tout. Mais pour ne pas perdre. Que la donation soit effectuée dans de telles conditions qu'elle ne doive pas être réclamée, mais où elle pourra être rendue. Plaçons le bienfait profondément enfoui comme un trésor, qu'on ne déterrera que si c'est vraiment nécessaire. La maison du riche elle-même, que d'occasions offre-t-elle de faire le bien ! Quel nom donner à celui qui n'offre sa libéralité qu'aux gens en toge ? La nature m'ordonne d'être utile aux hommes : qu'ils soient esclaves ou libres, de parents libres ou affranchis, d'une liberté de plein droit ou de celles qu'on accorde aux amis, quelle importance ? Partout où il y a un homme, il y a place pour un bienfait. On peut sans franchir le seuil de sa maison faire don de ses biens et pratiquer la libéralité – ainsi nommée non parce qu'elle est le fait d'hommes libres, mais parce qu'elle part d'une âme libre. Pratiquée par le sage, elle ne profitera jamais à un individu méprisable et indigne, pas plus qu'elle ne se lassera de chercher pour se déverser à flots chaque fois qu'elle rencontrera un homme digne d'elle.

Il n'y a donc pas lieu d'entendre d'une

oreille sceptique les discours honnêtes, courageux, vaillants de ceux qui se préoccupent de la sagesse. Et tout d'abord, il faut faire attention à ceci : rechercher la sagesse est une chose, l'avoir acquise en est une autre. Il se peut qu'on te dise : « Je parle bien, mais je me vautre encore dans quantité de vices. Tu ne dois pas exiger de moi que je me conforme à mes discours : j'en suis encore à me créer, me former, tâcher de m'élever au niveau de magnifiques exemples. Quand j'aurai réalisé les progrès auxquels j'aspire, alors tu pourras exiger que mes actes répondent à mes paroles. » Celui qui aura atteint ce qui, pour l'homme, est le souverain bien, te parlera autrement et dira : « D'abord, tu n'as pas à te permettre de porter de jugements sur de meilleurs que toi. J'ai déjà – preuve de ma droiture – le privilège de déplaire aux méchants. Mais pour te rendre des raisons que je ne refuse à aucun mortel, écoute ce que je professe et le prix que j'attache à toute chose. Je dis que les richesses ne sont pas un bien : si elles l'étaient, elles rendraient les gens vertueux. Or, puisque ce que l'on trouve chez les méchants ne peut être appelé un bien, je leur dénie ce nom. Pour le reste, je conviens qu'il faille les posséder et qu'elles apportent à la vie de grandes commodités.

« Alors, pourquoi je ne les mets pas au nombre des biens, et quelle attitude différente de la vôtre j'adopte à leur égard – puisque nous admettons tous qu'il faut les posséder – écoutez ce que j'en dis. Placez-moi dans la maison la plus somptueuse ; donnez-moi de l'or et de l'argent à profusion. Eh bien, je ne me jugerai pas moi-même en considération de ces avantages, qui, même s'ils sont chez moi, me restent cependant extérieurs. Emmenez-moi au pont Sublicius et jetez-moi parmi les indigents : je ne me mépriserai pas pour la seule raison que je suis assis au milieu de ceux qui tendent la main pour demander l'aumône. Qu'importe qu'il manque un morceau de pain à celui à qui n'est pas épargnée la possibilité de mourir ? Ce que je veux dire ? La maison splendide, oui certes, je l'aime mieux que le pont. Entourez-moi d'un mobilier magnifique, d'un luxe raffiné : je ne me croirai pas plus heureux parce que j'ai un coussin moelleux, ou qu'on étend des tapis de pourpre pour mes convives. Changez mon matelas : je ne serai en rien plus malheureux si ma nuque fatiguée repose sur une poignée de foin, si je couche sur une paillasse de gladiateur dont la bourre passe à travers les rapiéçages d'une vieille toile. Qu'entends-je par là ? J'aime mieux montrer mon âme revêtue de la toge prétexte *[il manque une partie de texte]*...

« Que passent tous mes jours selon mes vœux, que j'aie lieu d'enchaîner les actions de grâce aux actions de grâce : je ne m'en ferai pas accroire pour autant. Changez en son contraire cette bienveillance du sort ; que, ici ou là, des pertes, des deuils, des épreuves variées viennent frapper mon âme, j'entends bien ne jamais perdre mon temps en lamentations, et ce n'est pas pour cela que, au milieu de tous ces malheurs, je me dirai malheureux, que je maudirai mes jours ; car j'ai fait ce qu'il fallait pour qu'aucun ne soit un jour noir. Ce que je veux dire par là ? Je préfère modérer mes joies que réprimer mes douleurs. »

Le grand Socrate te le dira : « Imagine que je sois vainqueur de toutes les nations réunies, que le char moelleux de Liber me transporte triomphant du Levant jusqu'à Thèbes, que les rois viennent me demander des lois : je songerai avant tout que je ne suis qu'un homme alors même que je serai salué de toutes parts comme un dieu. Par un renversement complet, précipite-moi du haut de ce faîte sublime : que je sois porté sur la litière des captifs pour orner le cortège triomphal d'un vainqueur étranger orgueilleux et farouche, je ne serai pas rabaissé parce que je suis traîné par le char d'un autre au lieu d'être debout sur le mien. Qu'entends-je par là ? Oui, j'aime mieux être vainqueur que captif. Tout en n'ayant que mépris pour tout l'empire de la fortune, si j'ai le choix, j'en prendrai ce qu'elle peut offrir de meilleur. Qu'importe ce qui peut m'échoir : cela deviendra un bien, mais j'aime mieux que ce qui m'est réservé soit plus facile à vivre, plus agréable et moins pénible à endurer.

« Il ne faut pas croire qu'il puisse y avoir vertu sans labeur, mais si certaines vertus nécessitent un aiguillon, d'autres veulent un frein. Tout comme le corps doit être retenu dans une descente et poussé dans une montée, de même certaines vertus sont sur une descente, d'autres au pied d'une colline. Peut-on douter que montent, fassent effort et luttent, l'endurance, le courage, la persévérance et toutes les vertus qui font front aux duretés du sort et domptent la fortune ? Et n'est-il pas aussi évident que c'est sur une descente que marchent libéralité, tempérance et mansuétude ? Pour celles-ci, nous retenons notre âme de peur qu'elle ne glisse trop avant ; pour celles-là, nous l'exhortons et la stimulons avec la plus grande ardeur. Aussi réagirons-nous à la pauvreté par les vertus les plus vaillantes au combat, et à la richesse par les plus attentives, celles qui avancent posément et n'ont point de peine à supporter leur fardeau. Cette distinction faite, je préfère avoir à faire usage de celles qui requièrent le plus de tranquillité que de celles dont la pratique demande du sang et de la sueur. »

« Donc, je ne vis pas autrement que je parle, dit le sage, mais c'est vous qui entendez autre chose ; le son seul de mes paroles parvient à vos oreilles : vous n'en cherchez pas la véritable signification. »

Quelle différence y a-t-il donc entre moi le sot et toi le sage, si nous voulons posséder tous les deux ? Une énorme différence : chez le sage, les richesses sont serves ; chez le sot, elles règnent. Le sage ne permet rien aux richesses, elles vous permettent tout. Vous, comme si quelqu'un vous en avait promis la possession éternelle, vous vous y accoutumez, vous êtes englués par elles ; le sage pense surtout à la pauvreté même quand il est au milieu des richesses. Jamais un général ne croit assez en la paix pour ne pas préparer la guerre – même si les combats n'ont pas commencé – dès qu'elle est déclarée. Mais vous, une belle maison, comme si elle ne pouvait ni brûler ni s'effondrer, vous rend insolents, et les richesses vous éblouissent, comme si elles étaient une garantie contre tout danger ou trop grandes pour que la fortune puisse parvenir à les anéantir. Vous jouez oisivement avec les richesses sans prévoir qu'elles peuvent être menacées, comme les barbares assiégés, ignorants de l'usage des machines de guerre, qui regardent sans réagir le travail des assiégeants sans comprendre à quoi servent ces constructions qu'on élève à distance. Vous faites de même : vous pourrissez au milieu de vos biens sans songer combien de malheurs vous menacent de toutes parts et sont déjà tout prêts à emporter un précieux butin.

Celui qui enlèvera ses richesses au sage lui laissera tout son bien, car il vit dans l'allégresse du présent et sûr du futur. « Aucune volonté, dit le grand Socrate ou un autre qui a la même autorité et la même force contre l'adversité, n'est plus grande en moi que celle de ne pas conformer ma vie à vos opinions. Vous pouvez bien accumuler les critiques accoutumées : je ne considérerai pas que vous m'insultez, mais que vous vagissez comme de malheureux nouveau-nés. » Voilà ce que dira celui qui a atteint à la sagesse, à qui une âme exempte de vices ordonne de dire leur fait à ses semblables, non par animosité mais pour leur guérison. Et il ajoutera : « Votre jugement m'importe, non pour moi, mais pour vous ; car s'en prendre à la vertu avec des cris de haine, c'est s'amputer de tout espoir d'amendement. Vous ne me faites aucun tort, non plus qu'aux dieux dont on renverse les autels. Mais, même quand on n'a pu nuire, une mauvaise intention ou un mauvais dessein apparaissent. Vos divagations ne me font pas plus d'effet qu'à Jupiter très bon et très grand les inepties des poètes, dont l'un lui met des ailes, un autre des cornes, un autre prétend qu'il découche et se livre à des amours adultérines, un autre qu'il est cruel envers les autres dieux, ou bien inique envers les mortels, qu'il est le ravisseur d'hommes innocents et même de ses proches, qu'il est parricide et usurpateur du trône paternel : tout cela n'a d'autre résultat que d'enlever aux hommes la honte de leur faute en leur faisant croire que leurs dieux sont comme eux.

« Quoique vos propos ne me nuisent en rien, je vous admoneste cependant pour votre propre bien : admirez la vertu ; croyez en ceux qui proclament s'être longtemps réglés sur quelque chose de grand et dont la grandeur se manifeste chaque jour davantage ; vénérez-la comme les dieux et vénérez ceux qui la professent comme des médiateurs avec les dieux. Toutes les fois qu'on mentionnera devant vous des écrits sacrés, que votre langue soit favorable. Ce mot ne vient pas, comme croient la plupart des gens, de " faveur ", mais il impose le silence pour que le sacrifice puisse être accompli selon le rite, sans qu'aucun son malencontreux ne vienne le troubler. Cela, il est beaucoup plus nécessaire de vous l'ordonner, à vous, pour que chaque fois que cet oracle se prononcera, vous l'écoutiez attentivement et sans mot dire. Quand un individu, secouant un sistre, ment par ordre, quand un imposteur habile à se taillader superficiellement les muscles couvre de sang ses bras et ses épaules, quand quelque femme hurle en rampant sur les genoux dans la rue ou qu'un vieillard, vêtu de lin, portant un laurier et une lampe allumée en plein jour proclame que quelqu'un des dieux est en colère, vous accourez, vous l'écoutez, et, vous excitant mutuellement à l'ébahissement, vous affirmez qu'il est un envoyé divin. »

Voici Socrate qui, de cette prison qu'il a purifiée en y entrant et rendue plus honorable que toute curie, proclame : « Quelle est cette folie, quel est cet instinct ennemi des dieux et des hommes, qui fait diffamer les vertus et profaner les choses saintes par de méchants discours ? Si vous le pouvez, louez les gens de bien, sinon passez. S'il vous plaît de pratiquer votre affreuse licence, jetez-vous les uns sur les autres : car si vous divaguez contre le ciel, je ne dis pas que vous commettez un sacrilège, mais que vous perdez votre temps. J'ai moi-même fourni autrefois à Aristophane matière à plaisanterie ; toute la clique des poètes comiques a dardé sur moi ses traits vénéneux : ma vertu est devenue illustre grâce aux procédés qu'on employait pour la persifler. Il lui a été utile d'être montrée du doigt et harcelée, et personne n'en comprend mieux la portée que ceux qui en ont senti la résistance en l'égratignant : car nul ne connaît mieux la dureté du silex que ceux qui le frappent. Je me montre pareil au rocher des fonds marins, que les flots, malgré leurs va-et-vient en tous sens qui ne cessent de le frapper, ne peuvent ébranler ou éroder par leurs multiples assauts. Assaillez-moi, agressez-moi : je vous vaincrai en vous supportant. Tout ce qui s'attaque à des obstacles solides et inébranlables exerce sa force à son détriment. Aussi, cherchez quelque matière molle et malléable où vos traits pourront s'enfoncer ».

Vous avez tout loisir de scruter les maux des autres et de prononcer des jugements sur qui vous voudrez : « Pourquoi ce philosophe a-t-il une maison si vaste ? Pourquoi donne-t-il chez lui ces dîners si délicats ? » Vous regardez les boutons des autres alors que vous êtes couverts d'ulcères. C'est comme si quelqu'un se moquait d'une tache ou d'une verrue sur un corps magnifique en étant soimême dévoré par une gale féroce. Réprouvez Platon parce qu'il a recherché l'argent, Aristote parce qu'il en a reçu, Démocrite parce qu'il l'a négligé, Épicure parce qu'il l'a dépensé ; à moi, reprochez Alcibiade et Phèdre : vous serez finalement ravis d'imiter nos défauts dès que l'occasion s'en présentera ! Que n'examinez-vous plutôt vos propres maux, qui vous minent de toutes parts — les uns courant sur votre peau, les autres brûlant au fond de vos entrailles ? Les choses humaines ne sont pas de telle nature que vous puissiez vous permettre, même si vous êtes peu conscients de votre état, de faire marcher à loisir votre langue pour médire des plus vertueux.

Voilà ce que vous ne comprenez pas ; et vous vous donnez un air qui ne correspond pas à votre situation, comme ceux qui s'amusent au théâtre ou au cirque alors qu'un deuil frappe leur maison et qu'ils ne sont pas encore au courant de ce malheur. Mais moi, qui regarde de haut, je vois bien quelles tempêtes vous menacent et vont éclater sur vous plus tard ou bien, toutes proches, s'apprêtent à vous emporter, vous et vos biens. Qu'ajouter ? Maintenant même, bien que vous ne vous en rendiez pas compte, est-ce que la tourmente ne roule pas dans ses tourbillons, n'enveloppe pas vos âmes qui fuient, toujours en quête des mêmes choses, tantôt enlevées dans les airs, tantôt fracassées au fond des abîmes ? [...]

La fin du texte est perdue.

LA BRIÈVETÉ DE LA VIE

La plupart des mortels, Paulinus, s'accordent pour se plaindre de la parcimonie de la nature, parce que nous venons au monde pour une courte vie, que ces espaces de temps qui nous sont donnés courent avec la rapidité des torrents, si bien qu'à l'exception d'un petit nombre, la vie abandonne tous les hommes au cœur même des préparatifs de la vie. Et de ce malheur général – du moins ainsi le juge-t-on –, la foule et le vulgaire irréfléchi ne sont pas seuls à se lamenter. C'est un sentiment qui a suscité des plaintes même parmi des hommes de grand renom. D'où cette exclamation du plus grand des médecins : « La vie est brève et longue la science. » D'où, chez Aristote, en rébellion contre la nature, cette protestation des plus déplacées de la part d'un sage : « Elle s'est montrée si indulgente avec les animaux qu'elle leur a donné une existence équivalant à cinq, voire dix générations humaines, alors que pour l'homme, né pour tant de grands accomplissements, le terme vient infiniment plus vite. »

Nous n'avons pas un temps trop court ; mais nous en perdons beaucoup. La vie est assez longue, on nous en a donné une durée assez grande pour achever les plus hautes destinées, si nous l'employons toute à bon escient. Mais quand elle est dissipée dans le luxe et la nonchalance, quand on ne l'utilise pour aucune entreprise de valeur, alors il faudra la contrainte de la nécessité suprême pour que nous sentions que, sans que nous l'ayons vue avancer, elle est passée. Non, ce n'est pas qu'une vie brève nous soit impartie, c'est nous qui la rendons telle ; nous ne sommes pas indigents, nous gaspillons. Si des richesses immenses, royales, échoient à un mauvais maître, elles seront dilapidées en un moment ; en revanche, même si elles sont modestes, lorsqu'un bon dépositaire les reçoit, elles s'accroissent à l'usage. De même, pour celui qui sait l'employer, la vie couvre une longue distance.

Pourquoi nous plaindre de la nature ? Elle nous a bien traités : la vie est longue si on sait en user. Mais l'un est prisonnier d'une insatiable avidité, l'autre absorbé par une application laborieuse à d'inutiles travaux ; l'un est gorgé de vin, l'autre abruti par l'indolence ; l'un est miné par une ambition toujours suspendue au jugement d'autrui, l'autre entraîné par la passion du commerce sur terre et sur mer dans l'espoir de s'enrichir. Il y a ceux que tourmente une folie belliqueuse, incapables de ne pas s'inquiéter des périls que courent les autres ou eux-mêmes ;

ceux qu'un triste esprit courtisan consume dans une servitude volontaire. Beaucoup sont captifs d'une aspiration à posséder la beauté d'autrui ou du soin de la leur. La plupart ne recherchent rien de précis, et une légèreté vagabonde, inconstante, vite lassée, les jette sans cesse vers de nouveaux desseins ; ils ne savent où diriger leur course et le destin les surprend inactifs et bâillants. C'est au point que je n'hésite pas à prendre à mon compte cette phrase prononcée comme un oracle par le plus grand des poètes : « La partie de la vie que nous vivons est courte. » Tout le reste n'est pas de la vie, c'est du temps.

Les vices pressent, encerclent de toutes parts, ils interdisent de se redresser ou de lever les yeux pour distinguer le vrai. Ils engloutissent, submergent dans la passion, jamais on ne peut revenir à soi. Si parfois on trouve quelque tranquillité, comme au large où demeure, même la tempête passée, un peu d'agitation, on flotte et jamais on ne trouve de loisir à l'égard de ses passions.

Crois-tu que je dise tout cela des gens qui avouent leurs maux ? Regarde ceux qui font accourir les autres par l'image de bonheur qu'ils donnent : ils sont étouffés par leurs biens. Que leurs richesses sont pesantes à certains ! A combien d'autres leur éloquence et le besoin de faire chaque jour parade de leur profondeur d'esprit ne font-ils pas cracher le sang ! Combien s'étiolent dans de continuelles voluptés ! A combien une foule de clients qui les harcèlent ne laisse-t-elle aucun répit ! Bref, examine-les tous du haut en bas : celui-ci réclame justice, celui-là l'assiste, un tel est accusé, tel autre défenseur, personne ne revendique d'être laissé en paix avec soi-même, nous nous consumons les uns les autres. Informe-toi de ceux dont on apprend à connaître les noms, et tu verras qu'on les reconnaît à ceci : celui-ci est sous la sujétion d'un tel, celui-là d'un autre ; personne ne s'appartient.

Puisqu'il en est ainsi, qu'y a-t-il de plus

insensé que l'indignation de certaines gens ? Ils se plaignent de la morgue de leurs supérieurs qui n'ont pas le temps de leur accorder une audience ; on ose se plaindre de l'orgueil de l'autre quand on n'a jamais de loisir pour soi-même ! Pourtant, cet autre, qui que tu sois, t'a peut-être regardé parfois d'un air insolent, mais il t'a regardé, il a prêté l'oreille à tes paroles, il t'a admis à ses côtés : toi, tu n'as jamais daigné te regarder ni t'écouter toi-même. Tu n'as donc pas à te faire gloire des devoirs rendus à quiconque ; si tu les as rendus, ce n'était pas parce que tu voulais être avec un autre, c'était parce que tu ne pouvais être avec toi.

Les plus grands génies ont beau tomber d'accord sur l'aveuglement de la nature humaine, ils ne s'en étonneront jamais assez. On ne laisse personne empiéter sur ses domaines ; au moindre désaccord au sujet de leurs limites on court se saisir d'armes et de pierres, mais on laisse les autres empiéter sur sa vie ; bien mieux, on fait entrer soi-même ceux qui vont en devenir les accapareurs. On ne trouvera personne qui veuille partager son argent, mais entre combien de gens chacun distribue-t-il sa vie ? On est circonspect quand on veut préserver son patrimoine, et en même temps, s'il s'agit de jeter au vent son temps, le seul bien dont il serait honorable d'être avare, quelle prodigalité ! Il serait donc juste de prendre à partie quelqu'un dans la foule des vieillards et de lui dire : « Nous te voyons arrivé à l'extrême limite de la vie, tu portes sur tes épaules cent ans ou davantage. Allons, reviens en arrière, fais le compte de ton existence. Calcule combien de temps t'ont pris créanciers, maîtresses, rois ou clients, querelles conjugales ; combien le châtiment des esclaves, les allées et venues à travers la ville pour des mondanités ; ajoute les maladies que l'on s'invente, ajoute encore le temps inemployé : tu verras que tu as moins d'années que tu n'en comptes. Rappelle-toi les occasions où tu t'en es tenu à ta décision, quel jour s'est passé comme tu l'avais résolu, quand tu as disposé de toi-même, quand ton visage est resté impassible, ton âme intrépide, ce que tu as accompli au cours d'une si longue existence, combien de gens ont dilapidé ta vie sans que tu t'aperçoives de ce que tu perdais, tout ce que t'ont soustrait vaines douleurs, sottes allégresses, avide cupidité, flatteries du bavardage, et vois combien il te reste peu de ce qui t'a appartenu : tu comprendras que tu meurs avant d'avoir atteint la maturité. »

Quelle en est la raison ? Vous vivez comme si vous étiez destinés à vivre toujours, jamais vous ne prenez conscience de votre fragilité, vous ne faites pas attention à tout ce temps déjà passé. Vous dissipez comme si vous aviez des ressources inépuisables, alors que peut-être ce jour que vous consacrez à tel homme ou à telle occupation est le dernier. Habités par toutes les craintes propres à un mortel, vous avez en même temps tous les désirs d'un immortel. Tu entendras la plupart des gens déclarer : « A cinquante ans je m'éloignerai des affaires, à soixante je me démettrai de toutes mes fonctions. » Et qui t'a garanti que ta vie durera au-delà de cela ? Qui admettra que le sort s'accorde à tes plans ? N'as-tu pas honte de te réserver le reste de ta vie et de destiner aux progrès de ton âme le temps seulement où tu ne seras plus bon à autre chose ? N'est-ce pas bien tard de commencer à vivre au moment où il faut cesser ? Comme la nature humaine est sottement insouciante lorsqu'elle repousse à cinquante ou soixante ans les saines résolutions et prétend commencer à vivre à un âge auquel peu sont parvenus !

Tu verras les hommes les plus puissants, les plus haut placés, laisser échapper des propos où ils souhaitent la retraite, la louent, la préfèrent à tous leurs biens. Ils désirent descendre de leurs sommets, s'ils peuvent le faire en sûreté, car à supposer même que rien d'extérieur ne s'attaque à elle où ne l'ébranle, la fortune s'effondre d'elle-même. Le divin Auguste, favorisé par les dieux plus que tout autre, n'a cessé d'implorer la tranquillité et de demander d'être libéré de la conduite de l'État. Tous ses discours revenaient toujours à ce sujet : l'espoir de se retirer. Cet espoir lui apportait au milieu de ses soucis la consolation, fausse peut-être, qu'un jour il vivrait pour lui-même. Dans certaine lettre adressée au Sénat, où il promettait que son repos ne serait pas indigne et sans rapport avec sa grandeur passée, j'ai trouvé la phrase suivante : « Il est plus beau de le réaliser que de le promettre. Mais le désir de ce moment tant souhaité a grandi en moi au point que puisque le bonheur de le voir venir tarde encore, je trouve un plaisir anticipé dans la douceur qu'il y a à en prononcer le nom. » Il aspirait tant à la retraite que, ne pouvant la prendre réellement, il la prenait d'avance en imagination. Lui qui voyait tout dépendre de lui, qui faisait la fortune des hommes et des nations, songeait avec bonheur au jour où il se dépouillerait de sa grandeur. Il savait par expérience combien ces gloires qui resplendissent par toute la terre coûtent de sueur, combien elles cachent de tourments ignorés. Contraint de prendre les armes contre ses concitoyens d'abord, puis contre ses collègues, plus tardivement contre ses proches, il avait fait couler le sang sur terre et sur mer. Après avoir répandu la guerre à travers la Macédoine, la Sicile, l'Égypte, La Syrie, l'Asie et sur presque tous les rivages, il avait dirigé ses armées lassées de massacrer des Romains vers des combats contre l'étranger. Le voilà qui pacifie les Alpes et en même temps dompte les ennemis au cœur des provinces déjà assujetties, et tandis qu'il porte les frontières au-delà du Rhin, de l'Euphrate et du Danube, dans Rome même, Muréna, Cépion, Lépide, Égnatius, d'autres, aiguisent contre lui leurs poignards. Il devait encore éviter les pièges qu'ils lui tendaient. Sa fille et nombre de nobles jeunes gens, comme s'ils s'étaient enrôlés dans l'armée de l'adultère, épouvantaient son âge déjà avancé. Parmi eux, Iullus et, pour la seconde fois, une femme redoutable unie à Antoine. Il avait extirpé ces ulcères avec ses membres mêmes, mais d'autres resurgissaient par-dessous ; comme dans un corps trop sanguin, des hémorragies se produisaient sans cesse. Aussi souhaitait-il la retraite dont l'espoir et la vision apaisaient ses chagrins. Voilà quel était le vœu de l'homme qui pouvait exaucer tous les vœux.

Et Cicéron, ballotté entre les Catilina, les Clodius, les Pompée, les Crassus, les uns ennemis déclarés, les autres amis douteux, pris dans la tempête de la République qu'il retient au bord du précipice pour la suivre finalement dans sa chute, inquiet dans la prospérité et incapable de supporter l'adversité, combien de fois n'a-t-il pas déclaré son aversion pour ce consulat qu'il exerçait, qu'il louait pourtant, non pas sans raison mais sans objectif ! Quelles lamentations pitoyables n'a-t-il pas proférées dans certaine lettre à Atticus, à l'époque où Pompée le père était déjà vaincu et où son fils essayait en Espagne de raccomoder le glaive brisé ! « Tu me demandes ce que je fais ici ? dit-il. J'attends, à demi libre dans mon domaine de Tusculum. » Il ajoute ensuite d'autres choses, où il déplore sa vie passée, se plaint de sa vie présente et désespère du futur. Cicéron s'est dit « à demi libre » : bonté du Ciel, jamais un sage ne s'abaissera à se qualifier de cette manière ! Jamais il ne sera à demi libre, sa liberté sera toujours intacte et solide, il n'aura pas lieu de se juger lui-même et se tiendra plus haut que tout autre. Car qu'est-ce qui peut être plus haut que celui qui est au-dessus de la fortune ?

Livius Drusus, homme fougueux et ardent,

après avoir, par des lois nouvelles et mauvaises, redonné vie à tous les maux provoqués par les Gracques grâce à des masses énormes venues le soutenir de toute l'Italie, sans prévoir l'aboutissement d'événements qu'il n'était plus à même de contrôler, et pas davantage libre de laisser se développer sans plus s'en mêler, maudissait, dit-on, sa vie qui avait été d'emblée agitée. « Je n'ai pas connu de vacances, disait-il, même enfant. » Il osa en effet, encore pupille et vêtu de la prétexte, témoigner devant les juges en faveur d'accusés et exercer son influence au Forum si efficacement qu'il imposa certains de ses jugements. Jusqu'où ne devait pas aller une ambition si prématurée ? On devinera bien que cette audace précoce était destinée à provoquer de très grands malheurs, tant publics que privés. Il était par conséquent trop tard pour se plaindre de n'avoir point connu de vacances pour un homme qui dès l'enfance avait provoqué des séditions et rendu le

Forum insupportable. On discute pour savoir s'il mourut de sa propre main : car blessé soudain à l'aine, il s'effondra. Certains se demandèrent si sa mort fut volontaire, personne si elle fut opportune.

Il serait superflu d'en citer d'autres qui, alors qu'on les tenait pour très heureux, ont porté sur eux-mêmes un témoignage véridique en exécrant tout ce qu'ils avaient fait au cours de leur vie. Ces plaintes n'ont pourtant changé ni les autres ni eux-mêmes : car, une fois ces mots prononcés, on retombe dans les habitudes des passions. Eh oui ! Votre vie, durerait-elle plus de mille ans, sera resserrée dans les limites les plus étroites : il n'est pas de siècle que les vices ne dévoreront. Et cet espace – quoique si la nature le parcourt rapidement la raison puisse le dilater – vous échappera inévitablement bien vite ; car vous ne saisissez pas, vous ne retenez pas, vous ne ralentissez pas la plus fuyante des choses : vous la laissez partir comme un bien superflu dont la perte est réparable.

Au premier rang des égarés, je place ceux qui ne s'intéressent qu'au vin et aux désirs amoureux : personne n'est plus honteusement absorbé. Les autres, même s'ils sont fascinés par un vain fantôme de gloire, se trompent quand même plus noblement. Tu peux m'énumérer les cupides, les violents, ceux qui haïssent ou font la guerre injustement : tous ceux-là gardent une certaine dignité virile en commettant des fautes. Mais ceux qui se vautrent dans les plaisirs du ventre et de l'amour, eux sont dans une bourbe déshonorante. Examine ce que sont toutes les journées de ces gens ; regarde le temps qu'ils passent à calculer, à ruser, à craindre, à courtiser, à être courtisés, toutes les heures qu'occupent leurs procès et ceux des autres, leurs banquets, qui désormais sont devenus de véritables devoirs : tu verras à quel point rien ne les laisse respirer, ni leurs maux ni leurs biens.

Enfin, on s'accorde à penser qu'un homme absorbé ne peut bien exercer aucun talent, ni l'éloquence, ni les études libérales, puisqu'un esprit distrait ne peut concevoir aucune idée élevée mais rejette tout comme si on voulait le lui inculquer de force. Rien n'est moins le propre d'un homme absorbé que de vivre ; il n'est pas de science plus difficile. Ceux qui enseignent toutes les autres sont nombreux partout ; on a vu des enfants les apprendre si bien qu'ils étaient capables de les enseigner à leur tour. Mais il faut apprendre à vivre tout au long de sa vie, et, ce qui peut-être t'étonnera davantage, il faut, sa vie durant, apprendre à mourir. Nombreux sont les hommes de très haute valeur qui ont écarté tous les obstacles en renonçant aux richesses, aux fonctions, aux voluptés, pour travailler jusqu'à l'extrême limite de leur vie à acquérir cette seule connaissance : comment vivre ? Pourtant, plusieurs d'entre eux ont avoué qu'en quittant la vie ils ne le savaient pas encore. Aussi les hommes ordinaires sont-ils bien loin de le savoir. C'est le fait d'un grand homme, crois-moi, et qui s'élève au-dessus des erreurs humaines, que de ne se laisser rien prendre de son temps ; et sa vie est très longue parce que dans toute sa durée, elle est entièrement à sa disposition. Aussi, rien en lui n'est resté inculte et inutile, rien n'a été assujetti à autrui ; en effet, il n'a rien trouvé, en gardien économe, qui fût digne d'être échangé contre son temps. Ce temps lui a donc suffi, alors qu'inévitablement ceux à qui la foule a soustrait une large part de leur vie n'en auront pas eu assez.

Ne crois pas pour cela que ceux-ci ne se rendent pas compte parfois du dommage qu'ils subissent. Tu entendras certainement la plupart de ceux sur qui pèse le fardeau d'une grande félicité s'exclamer de temps en temps, au milieu du troupeau de leurs clients, des plaidoiries et autres misères de l'honneur : « Je n'ai pas le droit de vivre. » Comment l'aurais-tu ? Tous ceux qui t'appellent à eux t'enlèvent à toi-même. Cet accusé, combien de jours t'a-t-il pris ? Et ce candidat ? Et cette vieille, fatiguée de se voir harceler par ses héritiers ? Et ce faux malade qui excitait l'avidité des captateurs de testament ? Et cet ami puissant – de ceux qui vous retiennent non par amitié mais pour la parade ? Mets les choses en balance, te dis-je, recense tous les jours de ta vie : tu verras qu'il t'en est resté bien peu, et que tu as perdu les autres.

Celui-là, après avoir obtenu les faisceaux qu'il avait convoités, souhaite les déposer et demande souvent : « Quand cette année sera-t-elle passée ? » Cet autre donne des jeux ; il savait gré au destin de le lui avoir permis : « Quand, dit-il, en sortirai-je ? » Dans tout le Forum, on s'arrache un avocat et une foule énorme se masse, hors même de portée de voix : « Quand, dit-il, en aurai-je fini avec ces causes ? » Chacun jette sa vie au fond d'un précipice et souffre du désir de l'avenir, du dégoût du présent.

Mais celui qui voue tout son temps à son profit, qui ordonne tous ses jours comme sa vie entière, ne désire ni ne craint le lendemain. Quelle volupté nouvelle l'heure à venir pourrait-elle apporter ? Il les a toutes connues, il les a toutes ressenties à satiété. Que la fortune favorable arrange le reste selon sa volonté : sa vie est désormais en sûreté. On peut y ajouter des choses, rien en soustraire ; et encore, y ajouter comme une nourriture qu'on donne à un homme déjà saturé et repu : il avale ce dont il n'a même pas envie.

Ne va donc pas croire que des cheveux blancs et des rides prouvent qu'un homme a longtemps vécu : il n'a pas longtemps vécu, il a longtemps été. Quoi, te diras-tu qu'un homme a beaucoup navigué parce qu'une violente tempête l'a surpris à la sortie du port, l'a porté çà et là dans la tourmente furieuse de vents différents et promené en cercle sur la même étendue de mer ? Il n'a pas beaucoup navigué : il a seulement été beaucoup ballotté.

Je m'étonne toujours quand je vois des gens demander aux autres de leur donner de leur temps, et ceux qui sont sollicités l'accorder si aisément ; tous deux considèrent la raison pour laquelle ce temps est demandé, mais le temps lui-même, ni l'un ni l'autre. C'est comme si ce qu'on demandait n'était rien et ce qu'on donne rien non plus. On joue avec la chose la plus précieuse qui soit. Mais on n'en est pas conscient parce qu'elle est immatérielle ; parce qu'elle ne tombe pas sous le regard, on l'estime très basse, et même on ne lui accorde pour ainsi dire aucun prix. Les hommes reçoivent avec avidité des pensions, des allocations et leur consacrent leur peine, leur application, leurs soins ; mais personne n'estime le temps. On en use sans réserve comme s'il ne coûtait rien. Et pourtant, ces mêmes gens, vois-les, s'ils sont malades, si le danger d'une issue fatale se rapproche, vois-les aux genoux des médecins ; s'ils redoutent la peine capitale, vois-les tout prêts à dépenser tout leur avoir pour vivre ! Tant les passions en eux sont discordantes ! Si l'on pouvait montrer à chacun le nombre des années passées et celui des années qui lui restent à vivre, comme ils trembleraient, comme ils en seraient économes, ceux qui verraient combien il leur en reste peu ! Seulement, s'il est facile de ménager ce qui est réduit mais certain, on doit préserver encore plus soigneusement ce qui nous fera défaut à l'improviste.

N'imagine pas pour autant que ces gens n'aient pas conscience que le temps a une valeur : car ils disent facilement de ceux qu'ils aiment avec force qu'ils seraient prêts à leur donner une partie de leurs années. Ils donnent sans comprendre ; ils donnent de telle façon que ce qu'ils s'enlèvent ne profite à personne. Ils ne comprennent pas vraiment qu'ils se privent de quelque chose, c'est pourquoi l'idée de la perte ne leur est pas pénible : ils ne la sentent pas. Personne ne te rendra tes années, personne ne te restituera à toi-même. Ton existence continuera comme elle a commencé, sans remonter ni arrêter son cours ; tu n'entendras aucun tumulte, rien ne te préviendra de son flux : elle s'écoulera silencieusement. Ni l'autorité d'un roi, ni la faveur d'un peuple ne pourront la prolonger : suivant l'impulsion reçue le premier jour, elle courra, rien ne la détournera ou ne la ralentira. Qu'arrivera-t-il ? Tu es occupé, la vie se hâte ; cependant la mort viendra et il te faudra bien t'y soumettre, que tu le veuilles ou non.

Peut-il y avoir quelque chose de plus insensé que les idées de certains hommes, j'entends de ceux qui se vantent d'être prévoyants ? Ils sont encore plus laborieusement occupés ! Afin de pouvoir mieux vivre, ils dépensent leur vie à l'organiser. Ils forment des projets à très long terme ; or, le plus grand gaspillage de la vie, c'est l'ajournement : car il nous fait refuser les jours qui s'offrent maintenant et nous dérobe le présent en nous promettant l'avenir. Le plus grand obstacle à la vie est l'attente, qui espère demain et néglige aujourd'hui. C'est de ce qui est entre les mains de la fortune que tu veux disposer, alors que tu lâches ce qui est entre les tiennes. Où regardes-tu ? Vers quel lointain vont tes pensées ? Tout ce qui est censé arriver relève de l'incertain : vis tout de suite. Voici ce que prophétise le plus grand des poètes inspirés des dieux :

Le meilleur de leurs jours, pour les tristes mortels,
Fuit le premier.

« Pourquoi tarder, dit-il, pourquoi hésiter ? Si tu ne te saisis du temps, il fuit. » Et quand bien même tu l'auras saisi, il fuira malgré tout : c'est pourquoi il faut lutter de vitesse avec le temps, donc en user promptement, et vite y puiser tout ce qu'il peut donner comme à un torrent rapide et qui ne coulera pas toujours. Voulant réprouver les rêveries vers l'infini, il emploie un terme très heureux : « le meilleur jour » et non « le meilleur temps ». Pourquoi, si sûr de toi et insoucieux de la fuite si rapide du temps, étends-tu devant toi, suivant ce que te dicte ton avidité, une longue enfilade de mois et d'années ? C'est de ce jour-ci qu'il te parle, de ce jour en train de fuir. Car est-il douteux en effet que le meilleur de leurs jours fuie le premier pour les tristes mortels – tristes, parce qu'absorbés ? Leur esprit est encore dans l'enfance quand la vieillesse les accable, et ils y parviennent surpris et désarmés, car ils n'ont rien prévu. Ils y sont tombés brusquement, sans être sur leurs gardes ; ils ne la sentaient pas qui, quotidiennement, approchait. De même qu'une conversation, une lecture, quelque intense méditation trompent le voyageur et qu'il arrive avant de s'être rendu compte que le terme du trajet approchait, ce voyage de la vie, continuel et si rapide, que nous faisons du même pas éveillés ou endormis, ne devient perceptible à l'homme absorbé que lorsqu'ils s'achève.

Si je voulais diviser mon propos en points et arguments, je songerais à bien des choses qui prouvent que la vie de l'homme absorbé est très brève. Fabianus, qui n'était pas un philosophe professant du haut de sa chaire, mais un vrai philosophe à la manière des penseurs antiques, avait coutume de dire : « Il faut combattre les passions avec ardeur, non avec subtilité, non pas en leur infligeant de petites blessures mais en brisant leur ligne de bataille. » Il n'approuvait pas les méthodes trop délicates : « Car, disait-il, on doit assommer l'ennemi, non le mordiller. » Pour lutter contre les égarements des hommes, il faut les instruire et non se lamenter sur eux. La vie se divise en trois périodes : ce qui a été, ce qui est et ce qui sera. De ces trois, celle que nous traversons est courte, celle que nous allons vivre est douteuse, celle que nous avons vécue est certaine. Car c'est celle sur laquelle la fortune a perdu ses droits, qui ne peut retomber au pouvoir de personne. C'est ce qui échappe aux gens absorbés, car ils n'ont pas le loisir de jeter les yeux sur le passé, et l'auraient-ils que le souvenir de ce qui doit leur inspirer des regrets leur serait désagréable. Aussi est-ce de mauvais gré qu'ils se remémorent le temps mal employé, et ils n'osent repasser dans leur esprit ces moments où leurs vices (eussent-ils été, alors, parés de l'attrait du plaisir) leur deviennent évidents quand ils font un retour sur eux-mêmes. Personne – hormis l'homme qui soumet tous ses actes à sa censure, qui jamais ne se trompe – ne se retourne volontiers sur son passé. Celui dont les convoitises ont été nombreuses et présomptueuses, les dédains orgueilleux, les triomphes immodérés, les ruses perfides, qui s'est rendu coupable de gains malhonnêtes et de folles prodigalités, a peur, inévitablement, de ses propres souvenirs. Or, notre passé est justement la part sacrée et inviolable du temps que nous vivons sur terre, celle qui est au-delà de tous les hasards humains, soustraite à l'empire de la fortune, que ni la pauvreté, ni la crainte, ni les maladies ne peuvent ébranler. Elle ne peut être troublée, ni nous être ravie. La possession en est éternelle et paisible. Les jours ne sont présents qu'un à la fois, et même instant par instant, alors que tous ceux du passé reviendront vers nous si nous les appelons et se laisseront retenir, soumettre à notre jugement ; mais cela, les hommes absorbés n'ont pas le loisir de s'y employer. C'est le fait d'un esprit assuré et tranquille que de flâner parmi toutes les périodes de son existence ; les esprits des gens absorbés, comme s'ils étaient sous un joug, ne peuvent ni se retourner ni regarder en arrière. Aussi leur vie est-elle une course à l'abîme. Rien ne sert de verser encore et toujours dans un récipient sans fond pour retenir et conserver ; de même, peu importe de combien de temps on dispose si ce temps passe, sans arrêt ni pause aucune, par les brèches d'âmes fêlées et percées. Le présent est si court que certains le tiennent pour inexistant – car il est dans une course permanente, il coule et se précipite. Il est achevé avant même de commencer et ne connaît pas plus d'arrêt que le monde ou les astres empêchés par leur mobilité sans répit de jamais rester à la même place. Mais seul importe aux gens absorbés le moment présent, si court pourtant et insaisissable ; et même ce moment présent, partagés qu'ils sont entre mille occupations, ils se le laissent enlever.

Enfin, tu voudrais savoir combien peu de temps ils vivent ? Vois à quel point ils désirent vivre longtemps. Des vieillards décrépits mendient dans leurs prières quelques années de plus ; ils se font passer pour plus jeunes qu'ils ne sont ; ils se flattent de ce mensonge et trouvent du plaisir à se leurrer eux-mêmes, comme si avec eux ils trompaient le destin. Puis, quand quelque infirmité leur rappelle leur condition de mortels, ils voient venir la mort avec un tel effroi qu'on croirait non pas qu'ils quittent la vie, mais qu'on les en arrache. Ils clament haut et fort qu'ils ont été assez sots pour ne pas vivre, que si seulement ils pouvaient échapper à l'issue de leur maladie ils vivraient dans la retraite ; alors ils comprennent combien c'est en vain qu'ils ont acquis ce dont ils ne jouiront pas, combien tous leurs efforts tombent dans le vide.

En revanche, pour ceux dont la vie se déroule loin de toute agitation, pourquoi serait-elle restreinte ? Rien n'en est livré à autrui, rien n'en est dilapidé au profit de tel ou tel, ni abandonné au hasard ; rien perdu

par négligence ou gaspillé, rien n'y est superflu : tout entière, pour ainsi dire, elle porte
fruit. C'est pourquoi, si brève qu'elle soit,
elle suffit largement ; ainsi, quand viendra le
dernier jour, le sage n'hésitera pas à marcher
vers la mort d'un pas assuré.

Tu te demandes peut-être ce que j'appelle
les gens absorbés ? Ne crois pas que je
désigne par ce terme uniquement ceux qu'on
ne peut faire sortir de la basilique qu'en
lâchant les chiens ou qui se laissent écraser
fièrement par la foule de leurs clients ou
misérablement parmi ceux des autres, ni ceux
que leurs obligations arrachent de leur maison et qui vont se presser à la porte d'autrui,
ni ceux chez qui la lance du prêteur excite la
convoitise d'un profit infâme qui un jour ou
l'autre se putréfiera. Il est des gens que leurs
loisirs mêmes absorbent : dans leur villa ou
sur leur lit, en pleine solitude, même s'ils ont
pris leurs distances par rapport au monde
entier, ils sont importuns à eux-mêmes : dans

ce cas, leur vie n'est pas une retraite, mais une absorption désœuvrée. Parleras-tu de retraite pour celui qui range minutieusement des vases de Corinthe, rendus précieux par la manie de quelques-uns, et consume la plus grande partie de ses jours au milieu de fragments rouillés ? Pour celui qui dans la palestre s'assied pour regarder des enfants batailler (car, hélas ! nous pratiquons des vices qui ne sont même pas romains !) ? Qui apparie ses chevaux selon l'âge et la couleur ? Qui entretient les athlètes nouvellement découverts ? Eh quoi ! diras-tu qu'ils sont retirés du monde, ceux qui passent de longues heures chez le coiffeur, pour y faire couper ce qui a pu pousser la nuit précédente – et l'on délibère sur chaque cheveu, on remet en ordre ce qui ne l'est plus dans la coiffure, on ramène ici et là sur le front les mèches déplacées ! Quelle fureur alors si le coiffeur a été un peu négligent : comme s'il les avait tondus ! Et de s'emporter si l'on a coupé quelque chose en trop de leur crinière, si quelque chose n'est pas exactement comme il faudrait, si tout ne retombe pas en boucles parfaites ! En est-il un qui ne préfèrerait le désordre de l'État à celui de sa chevelure ? Qui ne soit plus soucieux de sa belle apparence que du salut de sa tête ? Qui n'aime pas mieux être bien coiffé que plus vertueux ? Diras-tu qu'ils mettent à profit leur loisir, ceux qui passent leur temps entre le peigne et le miroir ? Et que dire de ceux qui s'évertuent à composer, entendre, apprendre des chansons, et tourmentent leur voix – dont la nature a fait le ton juste, excellent, tout simple – en la forçant à des inflexions et des modulations langoureuses ? Ceux qui font claquer leurs doigts en rythmant sans cesse quelque romance qu'ils ont en tête, et qui, lorsqu'on les appelle pour des affaires sérieuses, souvent tristes même, chantonnent tout bas ? Ceux-là n'ont pas des loisirs, mais des occupations oiseuses. Et, ma foi, je ne mettrais pas leurs banquets au nombre des heures de loisir, quand je vois avec quelle minutie ils disposent l'argenterie, avec quel soin ils attachent les tuniques de leurs mignons, quelle attention ils portent au sanglier qui sort des mains du cuisinier, et la célérité avec laquelle les serviteurs imberbes, à leur signal, courent à leurs emplois, et quand je vois, encore, l'art déployé à découper les volailles en morceaux bien égaux, la diligence des malheureux domestiques à essuyer les crachats des convives pris de boisson. Voilà comment s'acquiert la réputation d'élégance et de magnificence, et leurs maux les suivent si assidûment dans les moindres recoins de leur vie qu'ils ne peuvent ni boire ni manger sans qu'y entre l'ambition.

Ne mets pas non plus au nombre des hommes qui mettent à profit leur loisir ceux qui se font porter ici ou là en chaise ou en litière et se présentent aux heures fixées pour leurs promenades, comme s'il ne leur était pas permis d'y manquer, et qu'un autre prévient au moment de prendre leur bain, de nager, de dîner : la langueur a tellement dissolu ces esprits amollis qu'ils ne sont même plus capables de savoir par eux-mêmes s'ils ont faim. J'ai entendu dire qu'un de ces délicats (si l'on peut appeler délicatesse l'oubli de la vie et des sains instincts humains), alors qu'on le transportait hors de son bain jusqu'à sa chaise, interrogeait ses gens : « Suis-je assis maintenant ? » Crois-tu que cet homme qui ignore s'il est assis sache s'il vit, s'il voit, s'il jouit d'un loisir ? J'hésite à dire s'il est plus à plaindre en l'ignorant qu'en feignant de l'ignorer. Ces gens oublient certes bien des choses, mais ils font aussi semblant d'en oublier d'autres ! Ils se délectent de certains vices comme s'ils étaient des preuves de bonheur : on a l'air trop obscur, l'air d'un homme de rien, si l'on sait bien ce qu'on fait. Va donc croire, après cela, que les mimes exagèrent lorsqu'ils critiquent les vices comme le luxe. Ils en oublient, ma foi, plus qu'ils n'en inventent, et le nombre des vices inimaginables s'est tellement accru en ce siècle, dont l'inventivité s'est bornée à cela, que nous pourrions reprocher aux mimes de passer sur trop de choses ! Songer que quelqu'un s'est tellement amolli dans les plaisirs qu'il en vient à demander à un autre s'il est assis ! Cet homme ne jouit pas d'un loisir – trouvons un autre terme : il est malade, ou, pour mieux dire, il est mort. L'homme de loisir est celui qui a conscience de son loisir. Mais ce mort vivant qui a besoin qu'on lui indique la position de son corps, comment pourrait-il être maître d'aucun instant de sa vie ?

Il serait trop long de passer en revue, un par un, ceux dont la vie s'est consumée à jouer aux échecs ou à la paume, ou à se faire dorer au soleil. Ils ne profitent pas d'un loisir, ceux dont les plaisirs sont la grande affaire. Quant à ceux qui sont plongés dans d'inutiles travaux d'érudition, nul ne mettra en doute qu'ils se donnent bien de la peine pour rien ; et ils sont légion à présent chez les Romains. Ce fut jadis une maladie des Grecs que de se demander combien Ulysse avait de rameurs, si c'est l'Iliade ou l'Odyssée qui a été écrite en premier, ensuite si elles sont du même auteur, ou autres sottises du même genre que tu peux garder pour toi sans que ta conscience s'en trouve mieux, ou publier sans paraître plus docte, mais seulement plus ennuyeux. Voici que les Romains sont gagnés à leur tour par cet inepte désir de connaissances superflues. Ces jours derniers, j'ai entendu un exposé sur ce que chacun des généraux romains avait été le premier à faire : Duilius fut le premier à remporter une victoire navale ; Curius Dentatus le premier à promener des éléphants dans son triomphe. Du moins ces recherches, si elles ne conduisent pas à la gloire véritable, se réfèrent à des exemples tirés de l'histoire nationale ; ces connaissances ne servent à rien, mais elles peuvent nous intéresser par le vain éclat de ces exploits. Soyons indulgents aussi pour ceux qui cherchent à savoir qui fut le premier à persuader les Romains de monter à bord d'un navire (c'était Claudius, surnommé Caudex parce que, justement, un assemblage de planches s'appelait « caudex » chez les anciens ; de là le nom de « codes » donné aux Tables de la Loi et celui de « codicaires » par lequel, dans l'ancien usage de la langue, on désignait les radeaux qu'on tirait sur le Tibre). Qu'il soit intéressant de savoir que Valerius Corvinus ait le premier soumis Messana, que, étant le premier de la famille des Valerii, il ait été surnommé Messana du nom de la ville qu'il avait conquise et que peu à peu le peuple, en changeant une lettre, l'ait appelé Messala, je veux bien le concéder. Trouveras-tu opportun qu'on se soucie de savoir que Sylla fut le premier à avoir lâché les lions dans l'arène, alors qu'auparavant ils y étaient attachés, et que le roi Bocchus ait envoyé des archers pour les tuer ? Cela encore, admettons-le. Mais savoir que Pompée fut le premier à avoir donné en spectacle un combat de cirque opposant dix-huit éléphants à des condamnés, cela peut-il avoir quelque conséquence heureuse ? Le premier personnage de la cité, qui fut, parmi les hommes éminents du passé (nous dit la tradition), un personnage d'une extraordinaire bonté, a considéré comme un spectacle mémorable de faire mourir des hommes d'une façon nouvelle. Les faire combattre ? C'était trop peu. Déchirer ? Trop peu encore. Non, il fallait qu'ils fussent broyés par l'énorme masse de ces animaux ! Mieux valait laisser ces faits tomber dans l'oubli, de crainte que plus tard quelque puissant ne les apprît et ne fût tenté d'égaler cette inhumanité. Ô quelles ténèbres répand dans nos esprits une grande félicité ! Voilà un homme qui s'est cru au-dessus de la nature en jetant ces malheureux à une troupe de bêtes sauvages nées sous d'autres cieux ; en faisant combattre des êtres si disproportionnés, en répandant des flots de sang sous le regard du peuple romain – alors qu'il allait le contraindre à en verser bientôt davantage. Mais lui aussi, plus tard, trompé par la perfidie alexandrine, devait se laisser transpercer par le dernier des esclaves, comprenant enfin la vaine majesté de son surnom. Mais (pour en revenir à mon point de départ et montrer en ce domaine l'inutile minutie de certains) le même érudit racontait que Metellus fut le seul de tous les Romains à faire défiler devant son char, dans le triomphe qu'il remporta après avoir vaincu les Carthaginois en Sicile, cent vingt éléphants qu'il avait capturés ; que Sylla fut le dernier des Romains à étendre le pomérium (toujours agrandi après des conquêtes en Italie et non dans les provinces, selon l'usage des anciens). Est-ce plus utile à savoir que le motif pour lequel l'Aventin se trouve en dehors du pomérium (c'est, affirmait cet éminent personnage, soit parce que la plèbe s'y était retirée après une sécession, soit parce que les auspices, quand Rémus les prit, n'avaient pas été favorables), ou d'innombrables révélations du même genre, toutes farcies de mensonges ou qui du moins en ont l'air ? Car en admettant qu'ils racontent de bonne foi toutes ces histoires et s'en portent garants, de qui enfin diminueront-elles les égarements ? De qui réprimeront-elles les passions ? Qui rendront-elles plus courageux, plus juste, plus généreux ? Notre grand Fabianus avouait se demander parfois s'il ne vaudrait pas mieux ne s'adonner à aucune étude qu'à des inepties pareilles.

Seuls mettent à profit un loisir ceux qui se vouent à la sagesse ; ils sont les seuls à vivre, car ils ne se contentent pas de bien gérer leur existence mais y ajoutent tous les siècles, et toutes les années qui les ont précédés leur sont acquises. A moins d'être de la plus totale ingratitude, nous reconnaîtrons que les illustres fondateurs des saintes doctrines sont nés pour nous, qu'ils ont préparé notre vie. Progresser vers les vérités suprêmes tirées des ténèbres, vers la lumière, c'est être guidé par le labeur d'un autre. Aucun siècle ne nous est interdit : ils nous sont tous ouverts, et si par la grandeur de nos aspirations nous tendons au-delà des petitesses humaines, un grand espace de temps est à notre disposition. Tout nous est permis : discuter avec Socrate, nous interroger avec Carnéade, nous reposer avec Épicure, vaincre la nature humaine avec les stoïciens, la dépasser avec les cyniques. Puisque la nature nous permet de nous introduire dans tous les siècles comme participants, pourquoi ne pas sortir de l'exigu, fragile passage qu'est notre vie et nous plonger de toute notre âme dans ces réflexions infinies, éternelles, partagées avec les esprits les plus élevés ?

Ceux que leurs obligations font courir de

tous côtés, qui se tourmentent et tourmentent les autres, lorsqu'ils auront bien dit toutes leurs extravagances et déambulé d'un seuil à l'autre jour après jour, lorsqu'ils se seront arrêtés devant toutes les portes ouvertes et auront apporté dans les maisons les plus diverses leurs saluts intéressés, combien peu de gens leur sera-t-il possible de voir dans cette ville immense et partagée entre tant de passions ! Combien y en aura-t-il dont le sommeil, la débauche, l'impolitesse leur interdiront le seuil ! Combien, après les avoir laissés longtemps dans l'anxiété, passeront en courant devant eux avec une hâte simulée ! Combien éviteront d'apparaître dans l'atrium où grouillent les clients et se réfugieront dans un recoin obscur de leur maison, comme s'il n'était pas plus grossier de les tromper que de les chasser ! Combien, engourdis et alourdis par l'ivresse de la veille, répondront à ces malheureux, qui interrompent leur sommeil

131

pour qu'ils s'intéressent à eux et murmurent à peine leur nom de leurs lèvres entrouvertes, par le plus dédaigneux des bâillements !

Nous pensons que seuls consacrent leur temps à de véritables occupations, quoi qu'on dise, ceux qui veulent avoir Zénon, Pythagore, Démocrite et tous les autres prêtres des valeurs suprêmes, Aristote, Théophraste, comme familiers de chaque jour. Aucun d'eux ne nous fera faux bond, aucun ne renverra son visiteur sans le rendre plus heureux, plus disposé à l'aimer, aucun ne le laissera partir les mains vides. Tout mortel peut aller les trouver la nuit comme le jour.

Parmi eux, nul ne te forcera mais tous t'apprendront à mourir. Parmi eux, aucun ne dilapide tes années mais tous t'apportent les leurs. Avec eux, un entretien ne présentera jamais aucun danger, aucune amitié ne sera funeste, ni aucun hommage coûteux. Tu emporteras d'eux tout ce que tu voudras ; il ne se trouvera rien pour t'empêcher de puiser

chez eux autant que tu le désires. Quel bonheur, quelle belle vieillesse attend celui qui
s'est placé sous leur patronnage ! Il pourra
délibérer avec eux des sujets les plus minimes
comme des plus graves ; il pourra les consul-
ter chaque jour sur ce qui le concerne : ils lui
diront la vérité sans l'outrager, le loueront
sans le flatter, et il pourra se modeler à leur
image. On a coutume de dire qu'il n'a pas été
en notre pouvoir de choisir nos parents, que
le hasard nous les a donnés : mais l'homme
vertueux peut naître où il veut. Les esprits les
plus nobles composent des familles. Choisis
celle dont tu veux faire partie, et tu en rece-
vras non seulement le nom, mais les biens,
que tu n'auras pas à préserver avec une avarice sordide et mesquine parce qu'ils s'accroî-
tront d'autant plus que tu les partageras
davantage. Ils te donneront le chemin vers
l'éternité et t'élèveront en un lieu d'où nul ne
pourra te jeter à bas. C'est le seul moyen de
dépasser sa condition de mortel, et même de

la transformer en immortalité. Les honneurs, les monuments, tous les décrets que l'ambition a rendus ou les ouvrages qu'elle a construits, tout cela a tôt fait de s'effondrer : il n'est rien que n'ébranle ou ne démolisse une vétusté prolongée. Mais celle-ci n'a pas le pouvoir d'endommager ce que la sagesse a consacré : le temps n'en abolira rien, n'en enlèvera rien. L'avenir, les générations ultérieures apporteront quelque chose de plus à la vénération que son œuvre inspire : car ce qui est encore proche suscite l'envie, mais à distance on admire avec plus de sincérité.

Ainsi donc, la vie du sage s'étend très loin, car il n'est pas enfermé dans les mêmes limites que les autres. Lui seul est délivré des lois du genre humain, et tous les siècles lui sont soumis comme à un dieu. Le temps est-il passé qu'il le retient par son souvenir ; présent, il l'utilise ; futur, il s'en réjouit par avance. Ce qui fait la longueur de sa vie, c'est la réunion de tous ses moments en un seul.

Bien plus courte et plus troublée est la vie de ceux qui oublient le passé, négligent le présent, craignent l'avenir : arrivés au moment suprême, ils comprennent trop tard, les malheureux, qu'ils ont passé tout leur temps occupés à ne rien faire. Ne vois pas dans leurs fréquents appels à la mort une preuve qu'ils ont eu une longue vie : ce qui les trouble, c'est l'imprévision dans leurs passions qui les font donner justement dans l'obstacle qu'ils redoutent ; et souvent ils désirent la mort parce qu'ils la craignent. Ne va pas non plus voir une preuve qu'ils vivent longtemps dans le fait que la journée leur paraît souvent longue et que jusqu'au moment du dîner ils se plaignent de ce que les heures passent lentement : car lorsqu'ils sont privés de ce qui les absorbe et abandonnés à leur oisiveté, ils se sentent agités et ne savent que faire de leur temps pour le tuer. C'est pourquoi ils recherchent une occupation quelconque et tout le temps qui les en

sépare leur est pesant – de même que lorsqu'on a fixé la date d'un combat de gladia-
teurs ou qu'ils attendent celle de quelque
autre spectacle ou plaisir, ils voudraient éli-
miner les jours qui les en séparent. Tout délai
apporté à la réalisation de leurs désirs est
long ; et pourtant, ce moment même qu'ils
aiment est précipité, court, et bien trop court
justement par leur propre faute : ils passent
en effet fugacement d'une impulsion à l'autre
et ne peuvent s'arrêter à un seul désir. Les
journées ne leur sont pas longues, mais
odieuses. Au contraire, combien leur
semblent brèves les nuits qu'ils passent entre
les bras des prostituées ou gorgés de vin ! De
là, du reste, les divagations des poètes, qui
par leurs fables nourrissent les égarements
humains, qui ont voulu montrer un Jupiter
enivré par les voluptés d'une nuit de couche-
rie et doublant sa durée ; qu'est-ce, sinon
enflammer nos vices, que ceci : écrire que les
dieux en sont les initiateurs, qu'est-ce d'autre

que de donner à notre maladie, en arguant de l'exemple de la divinité, excuse et justification ? Ces gens peuvent-ils ne pas trouver bien courtes des nuits si chèrement payées ? Ils perdent le jour par l'attente de la nuit, la nuit par la crainte de l'aube.

Leurs voluptés mêmes sont tremblantes et agitées de diverses frayeurs ; au milieu du plus grand transport survient cette angoissante interrogation : « Pour combien de temps ? » C'est à cause de ce sentiment que des rois ont pleuré sur leur puissance : la grandeur de leur bonheur les charmait moins que ne les terrifiait la crainte de le voir un jour finir. Quand, sur de vastes espaces, il déployait une armée non pour la dénombrer, mais seulement pour l'évaluer, le plus arrogant des rois de Perse versa des larmes en songeant que d'ici cent ans aucun de ces jeunes guerriers ne serait plus ; pourtant, lui-même allait précipiter pour eux le destin sur lequel il se lamentait, et conduire à leur perte, les uns sur mer, les autres sur terre, les uns au combat, les autres dans la fuite, et en peu de temps anéantir ceux pour qui il redoutait la centième année !

Dirai-je que leurs joies aussi sont troublées ? Car elles ne s'appuient pas sur des bases solides, mais tremblent sur le terrain inconsistant où elles s'élèvent. Que dire, selon toi, des moments qu'ils avouent eux-mêmes malheureux, quand ceux aussi dont ils s'exaltent, où ils se croient montés plus haut que l'humain, sont si mêlés ? Les plus grands bonheurs sont inquiets, et il n'est pas de fortune moins sûre que celle qu'on croit la plus favorable ; il faut une nouvelle félicité pour conserver la félicité, et pour remplacer les vœux exaucés il faut en formuler d'autres. Car tout ce qui vient du hasard est instable ; plus on s'élève haut, plus on risque de tomber ; or, la perspective d'une chute ne réjouit personne.

Elle est donc forcément bien malheureuse,

et non pas seulement brève, la vie de ceux qui acquièrent à grand-peine ce qu'ils auront encore plus de peine à conserver. C'est laborieusement qu'ils obtiennent ce qu'ils désirent ; c'est dans l'anxiété qu'ils protègent ce qu'ils ont obtenu. Pourtant, ils ne prennent pas en compte le temps qui jamais plus ne reviendra : de nouvelles occupations se substituent aux anciennes, l'espoir suscite l'espoir et l'ambition, l'ambition. On ne cherche pas la fin de ses misères, on en change le sujet. Le souci de nos honneurs nous a-t-il tourmentés ? ceux des autres nous dérobent encore plus de temps. En avons-nous fini avec les fatigues d'une candidature ? nous devenons agents électoraux. Avons-nous renoncé au désagrément d'accuser ? nous voici juges. A-t-on cessé d'être juge ? on est enquêteur. A-t-on vieilli comme administrateur du bien d'autrui ? on est absorbé par sa fortune personnelle. Marius a-t-il abandonné ses fonctions dans l'armée ? il a la charge du consulat. Cincinnatus se hâte-t-il d'expédier la dictature ? on le rappelle de la charrue. On verra marcher Scipion contre les Carthaginois (trop jeune encore pourtant pour cette entreprise, vainqueur d'Hannibal, vainqueur d'Antiochus, gloire de son consulat qui répond à celui de son frère, et qu'on mettrait au rang de Jupiter s'il ne s'y refusait lui-même), mais ce sauveur sera anéanti par les discordes civiles, et après avoir répugné, dans sa jeunesse, à des honneurs qui l'eussent égalé aux dieux, il se laissera séduire, vieillard, par l'ambition d'un fier exil. Jamais les causes d'inquiétude ne se feront faute de venir nous troubler, que nous soyons heureux ou malheureux. Les occupations agiteront la vie ; jamais ne viendra le loisir, même s'il est souhaité.

Extirpe-toi donc du vulgaire, mon très cher Paulinus, et, toi qui as déjà été trop tiré à hue et à dia pour la durée de ton existence, retire-toi enfin dans un port plus tranquille.

Réfléchis à toutes les vagues qui t'ont assailli, aux tempêtes que tu as essuyées comme simple particulier ou que tu as soulevées contre toi en tant qu'homme public. Par toutes les épreuves douloureuses et angoissantes que tu as traversées, tu as fourni assez de témoignages de ta valeur : expérimente maintenant ce qu'elle peut accomplir dans le loisir. La plus grande partie de ton existence, en tout cas la meilleure, a été consacrée à l'État : prends aussi du temps pour toi-même. Je ne t'invite pas à un repos indolent et inerte, pas davantage à noyer tout ce qu'il y a en toi d'énergie dans le sommeil ou l'amour des voluptés. Ce n'est pas cela, se reposer : tu trouveras des labeurs plus nobles que tous ceux auxquels tu t'es voué jusqu'à présent, et tu les pourras exécuter dans la quiétude et la sécurité. Tu gères les intérêts de l'univers avec autant de probité que ceux d'autrui, autant de soin que les tiens, autant de conscience que ceux de l'État. Dans des fonctions où il est difficile d'éviter la haine, tu gagnes l'affection. Mais pourtant, crois-moi, il vaut mieux tenir les comptes de sa vie que ceux des blés de l'État. Cette force de caractère capable des plus grandes choses, détourne-la d'une charge honorable, certes, mais peu propice au bonheur, et songe que, si tu as cultivé dans tes jeunes années les études libérales, ce n'était pas pour qu'avec toi des milliers de boisseaux de blé fussent entre de bonnes mains ; tu avais fait placer en toi des espérances plus hautes. On ne manquera pas d'hommes d'une honnêteté éprouvée et d'une activité assidue ; les lourdes bêtes de somme sont plus aptes à porter les fardeaux que les chevaux de race : en effet, qui songe-rait à accabler leur noble rapidité d'un pesant bagage ?

Réfléchis de surcroît à la quantité de sou-cis que t'inflige un tel fardeau : tu as affaire au ventre de l'humanité ; or, la raison ne peut rien face à un peuple qui a faim ;

l'équité ne l'apaise point, aucune prière ne le fléchit. Tout récemment, quelques jours après que Caligula a péri, indigné (s'il reste encore quelque sentiment aux Enfers) que le peuple romain lui survécût, il ne restait que sept jours de vivres, huit au plus ! Et au temps où cet empereur faisait des ponts avec le bois des navires et s'amusait avec les forces de l'empire, s'approchait le malheur suprême, même pour des assiégés, la famine. Les gens allaient mourir de faim, ce qui aurait eu pour conséquence un effondrement généralisé de l'État : voilà ce que faillit coûter ce désir d'imiter un roi étranger, un fou furieux que l'orgueil conduisit à sa perte. Quel pouvait être alors l'état d'esprit de ceux à qui était confié le soin du ravitaillement public, et qui allaient devoir supporter les pierres, le fer, le feu, Caligula ? Ils usaient d'une suprême dissimulation pour cacher un mal qui n'était encore que latent ; et c'était agir raisonnablement, certes, car il est des affections qu'il faut soigner à l'insu de ceux qui en sont atteints, beaucoup étant morts de connaître leur maladie.

Fais retraite vers ces activités plus tranquilles, plus sûres, plus élevées ! Penses-tu que ce soit la même chose de prendre soin que le blé soit acheminé vers les greniers (sans avoir à souffrir des fraudes des convoyeurs ou de leur négligence, à veiller qu'il ne se gâte pas et ne fermente pas après avoir pris l'humidité, que la mesure et le poids soient exacts) et d'aborder ces études sacrées et sublimes pour savoir ce que sont l'essence de la divinité, sa volonté, sa condition, sa forme ? Quelle destinée attend ton âme, et où la nature nous conduit lorsque nous sommes séparés du corps ? Ce qui soutient au centre toutes les parties les plus lourdes de l'univers, fait tenir en suspension les corps légers, les emporte vers le feu suprême, provoque les révolutions des astres et tous les extraordinaires et merveilleux phé nomènes du même genre, ne veux-tu pas quitter le sol pour tourner tes regards vers tout cela ? Maintenant, pendant que ton sang est chaud, il faut marcher d'un pas vigoureux vers un but meilleur. Dans une vie de ce genre t'attendent quantité de belles occupations pour ton esprit, l'amour des vertus et leur pratique, l'oubli des passions, la connaissance de la vie et de la mort, un grand détachement à l'égard de tout.

Assurément, bien misérable est la condition de tous les gens absorbés ; la plus misérable, pourtant, est celle des hommes qui ne sont même pas absorbés par eux-mêmes, qui règlent leur sommeil sur celui d'un autre, leurs pas sur ceux d'un autre, qui se laissent ordonner leurs amours et leurs haines – les choses les plus libres de toutes. Si ces gens-là veulent savoir à quel point leur vie est brève, qu'ils réfléchissent à la maigreur de la part qui leur en revient. Donc, quand tu verras revêtir souvent la prétexte, quand tu entendras répéter souvent un nom au Forum, n'éprouve point d'envie : ces privilèges s'acquièrent aux dépens de la vie. Pour attacher leur nom à une seule année, ces gens épuiseront toutes les autres. Certains, avant d'arriver au sommet de leurs ambitions, ont été abandonnés par la vie dès leurs premiers efforts ; certains, après avoir rampé jusqu'au comble des honneurs en commettant mille indignités, ont eu subitement la triste conscience qu'ils s'étaient donné toute cette peine pour une épitaphe sur leur sépulcre ; d'autres ont vu leur extrême vieillesse, alors qu'ils en usaient comme de la jeunesse pour nourrir de nouveaux espoirs, trahir par sa faiblesse des efforts aussi intenses que malhonnêtes. Honte à celui qui, dans un procès intenté par des chicaneurs complètement inconnus, cherchant malgré son grand âge à se faire admirer d'un auditoire ignorant, a perdu le souffle ; honte à celui qui, las de vivre, plutôt que de se donner de la peine, s'est effondré au milieu des obligations mondaines ; honte à celui qui, mourant en recevant des comptes, a bien fait rire un héritier longtemps tenu en haleine. Je ne puis passer sous silence un exemple qui me vient à l'esprit : Turannius était un vieillard d'une absolue diligence, qui, après avoir atteint sa quatre-vingt-dixième année et avoir été, contre son vouloir, déchargé de ses fonctions par Caligula, se fit étendre sur un lit et pleurer comme mort par toute sa maisonnée assemblée. La demeure s'endeuillait de la retraite de son vieux maître et ne mit fin à ses manifestations de tristesse que lorsque sa charge lui eut été rendue. Est-ce donc si réconfortant de mourir absorbé ? On trouve le même état d'esprit chez la plupart des gens ; le désir de s'occuper dure plus longtemps que la capacité de le faire. On lutte contre la faiblesse du corps, et si l'on combat la vieillesse, la seule raison en est qu'elle vous tient à l'écart du monde. De par la loi, on n'est plus mobilisable à partir de cinquante ans ; les sénateurs ne sont plus convoqués à partir de soixante : mais il est plus difficile aux hommes d'obtenir leur retraite d'eux-mêmes que de la loi. Et pourtant ! Pendant qu'ils se laissent entraîner et qu'ils entraînent les autres, qu'ils se privent de tout repos les uns les autres, qu'ils font mutuellement leur malheur, leur vie est sans fruit, sans plaisir, sans aucun progrès pour l'âme. Personne ne regarde la mort en face ; il n'en est pas un qui n'étende au plus loin ses espérances. Certains, même, prennent des dispositions pour ce qui se passera après leur vie, pour l'édification d'énormes tombeaux, pour la dédicace de bâtiments publics, pour des célébrations près du bûcher et de somptueuses obsèques. Mais, à mon avis, leurs funérailles, comme s'ils avaient fort peu vécu, devraient bien plutôt être conduites, de même que pour les enfants, à la lueur des flambeaux et des cierges.

CORRESPONDANCE
ENTRE DESCARTES
ET LA PRINCESSE ÉLISABETH
SUR

LA VIE HEUREUSE

DESCARTES A ÉLISABETH

Egmond, 4 août 1645

Madame,

Lorsque j'ai choisi le livre de Sénèque *de vitâ beatâ*, pour le proposer à Votre Altesse comme un entretien qui lui pourrait être agréable, j'ai eu seulement égard à la réputation de l'auteur et à la dignité de la matière, sans penser à la façon dont il la traite, laquelle ayant depuis considérée, je ne la trouve pas assez exacte pour mériter d'être suivie. Mais, afin que Votre Altesse en puisse juger plus aisément, je tâcherai ici d'expliquer en quelle sorte il me semble que cette matière eût dû être traitée par un Philosophe tel que lui, qui, n'étant point éclairé de la foi, n'avait que la raison naturelle pour guide.

Il dit fort bien, au commencement, que *vivere omnes beate volunt, sed ad pervidendum quid sit quod beatam vitam efficiat, caligant* [1]. Mais il est besoin de savoir ce que c'est que *vivere beate ;* je dirais en français vivre heureusement, sinon qu'il y a de la différence entre l'heur et la béatitude, en ce que l'heur ne dépend que des choses qui sont hors de nous, d'où vient que ceux-là sont estimés plus heureux que sages, auxquels il est arrivé quelque bien qu'ils ne se sont point procuré, au lieu que la béatitude consiste, ce me semble, en un parfait contentement d'esprit et une satisfaction intérieure, que n'ont pas ordinairement ceux qui sont le plus favorisés de la fortune, et que les sages acquièrent sans elle. Ainsi *vivere beate,* vivre en béatitude, ce n'est autre chose qu'avoir l'esprit parfaitement content et satisfait.

Considérant, après cela, ce que c'est *quod beatam vitam efficiat,* c'est-à-dire quelles sont les choses qui nous peuvent donner ce souverain contentement, je remarque qu'il y en a de deux sortes : à savoir, de celles qui dépendent de nous, comme la vertu et la sagesse, et de celles qui n'en dépendent point, comme les honneurs, les richesses et la santé. Car il est certain qu'un homme bien né, qui n'est point malade, qui ne manque de rien, et qui avec cela est

1. Vivre heureux, qui ne le désire ! mais lorsqu'il s'agit de définir ce qui rend la vie heureuse, tout le monde tâtonne.

aussi sage et aussi vertueux qu'un autre qui est pauvre, malsain et contrefait, peut jouir d'un plus parfait contentement que lui. Toutefois, comme un petit vaisseau peut être aussi plein qu'un plus grand, encore qu'il contienne moins de liqueur, ainsi, prenant le contentement d'un chacun pour la plénitude et l'accomplissement de ses désirs réglés selon la raison, je ne doute point que les plus pauvres et les plus disgraciés de la fortune ou de la nature ne puissent être entièrement contents et satisfaits, aussi bien que les autres, encore qu'ils ne jouissent pas de tant de biens. Et ce n'est que de cette sorte de contentement, de laquelle il est ici question ; car puisque l'autre n'est aucunement en notre pouvoir, la recherche en serait superflue.

Or il me semble qu'un chacun se peut rendre content de soi-même et sans rien attendre d'ailleurs, pourvu seulement qu'il observe trois choses, auxquelles se rapportent les trois règles de morale, que j'ai mises dans le discours de la Méthode.

La première est, qu'il tâche toujours de se servir, le mieux qu'il lui est possible, de son esprit, pour connaître ce qu'il doit faire ou ne pas faire en toutes les occurrences de la vie.

La seconde, qu'il ait une ferme et constante résolution d'exécuter tout ce que la raison lui conseillera, sans que ses passions ou ses appétits l'en détournent ; et c'est la fermeté de cette résolution, que je crois devoir être prise pour la vertu, bien que je ne sache point que personne l'ait jamais ainsi expliquée ; mais on l'a divisée en plusieurs espèces, auxquelles on a donné divers noms, à cause des divers objets auxquels elle s'étend.

La troisième, qu'il considère que, pendant qu'il se conduit ainsi, autant qu'il peut, selon la raison, tous les biens qu'il ne possède point sont aussi entièrement hors de son pouvoir les uns que les autres, et que, par ce moyen, il s'accoutume à ne les point désirer ; car il n'y a rien que le désir, et le regret ou le repentir, qui nous puissent empêcher d'être contents : mais si nous faisons toujours tout ce que nous dicte notre raison, nous n'aurons jamais aucun sujet de nous repentir, encore que les événements nous fissent voir, par après, que nous nous sommes trompés, pour ce que ce n'est point par notre faute. Et ce qui fait que nous ne désirons point d'avoir, par exemple, plus de bras ou plus de langues que nous n'en avons, mais que nous désirons bien d'avoir plus de santé ou plus de richesses, c'est seulement que nous imaginons que ces choses-ci pourraient être acquises par notre conduite, ou bien qu'elles sont dues à notre nature, et que ce n'est pas le même des autres : de laquelle opinion nous pourrons nous dépouiller, en considérant que, puisque nous avons toujours suivi le conseil de notre raison, nous n'avons rien omis de ce qui était en notre pouvoir, et que les maladies et les infortunes ne sont pas moins naturelles à l'homme, que les prospérités et la santé.

Au reste, toutes sortes de désirs ne sont pas incompatibles avec la béatitude ; il n'y a que ceux qui sont accompagnés d'impatience et de tristesse. Il n'est pas nécessaire aussi que notre raison ne se trompe point ; il suffit que notre conscience nous témoigne que nous n'avons jamais manqué de résolution et de vertu, pour exécuter toutes les choses que nous avons jugé être les meilleures, et ainsi la vertu seule est suffisante pour nous rendre contents en cette vie. Mais néanmoins pour ce que, lorsqu'elle n'est pas éclairée par l'entendement, elle peut être fausse, c'est-à-dire que la volonté et résolution de bien faire nous peut porter à des choses mauvaises, quand nous les croyons bonnes, le contentement qui en revient n'est pas solide ; et pour ce qu'on oppose ordinairement cette vertu aux plaisirs, aux appétits et aux passions, elle est très difficile à mettre en pratique, au lieu que le droit usage de la raison, donnant une vraie connaissance du bien, empêche que la vertu ne soit fausse, et même l'accordant avec les plaisirs licites, il en rend l'usage si aisé, et nous faisant connaître la condition de notre nature, il borne tellement nos désirs, qu'il faut avouer que la plus grande félicité de l'homme dépend de ce droit usage de la raison, et par conséquent que l'étude qui sert à l'acquérir, est la plus utile occupation qu'on puisse avoir, comme elle est aussi sans doute la plus agréable et la plus douce.

En suite de quoi, il me semble que Sénèque eût dû nous enseigner toutes les principales vérités, dont la connaissance est requise pour faciliter l'usage de la vertu, et régler nos désirs et nos passions, et ainsi jouir de la béatitude naturelle ; ce qui aurait rendu son livre le meilleur et le plus utile qu'un Philosophe païen eût su écrire. Toutefois, ce n'est ici que mon opinion, laquelle je soumets au jugement de Votre Altesse ; et si elle me fait tant de faveur que de m'avertir en quoi je manque, je lui en aurai très grande obligation et témoignerai, en me corrigeant, que je suis,

Madame,
de Votre Altesse,
le très humble et très obéissant serviteur,

Descartes

ÉLISABETH A DESCARTES

La Haye, 16 août 1645

Monsieur Descartes,

J'ai trouvé, en examinant le livre que vous m'avez recommandé, quantité de belles périodes et de sentences bien imaginées pour me donner sujet d'une méditation agréable, mais non pas pour m'instruire de celui dont il traite, puisqu'elles sont sans méthode et que l'auteur ne suit pas seulement celle qu'il s'était proposée. Car, au lieu de montrer le chemin le plus court vers la béatitude, il se contente de faire voir que ses richesses et son luxe ne l'en rendent point incapable. Ce que j'étais obligée de vous écrire, afin que vous ne croyiez pas que je sois de votre opinion par préjugé ou par paresse. Je ne demande point aussi que vous continuiez à corriger Sénèque, parce que votre façon de raisonner est plus extraordinaire, mais parce qu'elle est la plus naturelle que j'aie rencontrée, et semble ne m'apprendre rien de nouveau, sinon que je puis tirer de mon esprit des connaissances que je n'ai pas encore aperçues.

Et c'est ainsi que je ne saurais encore me désembarrasser du doute, si on peut arriver à la béatitude dont vous parlez, sans l'assistance de ce qui ne dépend pas absolument de la volonté, puisqu'il y a des maladies qui ôtent tout à fait le pouvoir de raisonner, et par conséquent celui de jouir d'une satisfaction raisonnable, d'autres qui diminuent la force, et empêchent de suivre les maximes que le bon sens aura forgées, et qui rendent l'homme le plus modéré, sujet à se laisser emporter de ses passions, et moins capable à se démêler des accidents de la fortune, qui requièrent une résolution prompte. Quand Épicure se démenait, en ses accès de gravelle, pour assurer ses amis qu'il ne sentait point de mal, au lieu de crier comme le vulgaire, il menait la vie de philosophe, non celle de prince, de capitaine ou de courtisan, et savait qu'il ne lui arriverait rien de dehors, pour lui faire oublier son rôle et manquer à s'en démêler selon les règles de sa philosophie. Et c'est dans ces occasions que le repentir me semble inévitable, sans que la connaissance que de faillir est naturel à l'homme comme d'être malade, nous en puisse défendre. Car on n'ignore pas aussi qu'on se pouvait exempter de chaque faute particulière.

Mais je m'assure que vous m'éclaircirez de ces difficultés, et de quantité d'autres, dont je ne m'avise point à cette heure, quand vous m'enseignerez les vérités qui doivent être connues, pour faciliter l'usage de la vertu. Ne perdez donc point, je vous prie, le dessein de m'obliger par vos préceptes, et croyez que je les estime autant qu'ils le méritent.

Il y a huit jours que la mauvaise humeur d'un frère malade m'empêche de vous faire cette requête, en me retenant toujours auprès de lui, pour l'obliger, par la complaisance qu'il a pour moi, à se soumettre aux règles des médecins, ou pour lui témoigner la mienne, en tâchant de le divertir, puisqu'il se persuade que j'en suis capable. Je souhaite l'être à vous assurer que je serai toute ma vie,

Monsieur Descartes,
Votre très affectionnée amie à vous servir,

Élisabeth

DESCARTES A ÉLISABETH

Egmond, 18 août 1645

Madame,

Encore que je ne sache point si mes dernières [1] ont été rendues à Votre Altesse, et que je ne puisse rien écrire, touchant le sujet que j'avais pris pour avoir l'honneur de vous entretenir, que je ne doive penser que vous savez mieux que moi, je ne laisse pas toutefois de continuer, sur la créance que j'ai que mes lettres ne vous seront pas plus importunes que les livres qui sont en votre bibliothèque ; car d'autant qu'elles ne contiennent aucunes nouvelles que vous ayez intérêt de savoir promptement, rien ne vous conviera de les lire aux heures que vous

---

1. Il s'agit des lettres.

aurez quelques affaires, et je tiendrai le temps que je mets à les écrire très bien employé, si vous leur donnez seulement celui que vous aurez envie de perdre.

J'ai dit ci-devant ce qu'il me semblait que Sénèque eût dû traiter en son livre ; j'examinerai maintenant ce qu'il traite. Je n'y remarque en général que trois choses : la première est qu'il tâche d'expliquer ce que c'est que le souverain bien, et qu'il en donne diverses définitions ; la seconde qu'il dispute contre l'opinion d'Épicure, et la troisième, qu'il répond à ceux qui objectent aux Philosophes qu'ils ne vivent pas selon les règles qu'ils prescrivent. Mais, afin de voir plus particulièrement en quelle façon il traite ces choses, je m'arrêterai un peu sur chaque chapitre.

Au premier, il reprend ceux qui suivent la coutume et l'exemple plutôt que la raison. *Nunquam de vita judicatur,* dit-il, *semper creditur.* [1] Il approuve bien pourtant qu'on prenne conseil de ceux qu'on croit être les plus sages ; mais il veut qu'on use aussi de son propre jugement, pour examiner leurs opinions. En quoi je suis fort de son avis ; car, encore que plusieurs ne soient pas capables de trouver d'eux-

1. Lorsqu'il s'agit de la vie, on ne juge jamais, on croit toujours.

mêmes le droit chemin, il y en a peu toutefois qui ne le puissent assez reconnaître, lorsqu'il leur est clairement montré par quelque autre ; et quoi qu'il en soit, on a sujet d'être satisfait en sa conscience, et de s'assurer que les opinions qu'on a, touchant la morale, sont les meilleures qu'on puisse avoir, lorsqu'au lieu de se laisser conduire aveuglément par l'exemple, on a eu soin de rechercher le conseil des plus habiles, et qu'on a employé toutes les forces de son esprit à examiner ce qu'on devait suivre. Mais, pendant que Sénèque s'étudie ici à orner son élocution, il n'est pas toujours assez exact en l'expression de sa pensée ; comme, lorsqu'il dit : *Sanabimur, si modo separemur a cœtu* [1], il semble enseigner qu'il suffit d'être extravagant pour être sage, ce qui n'est pas toutefois son intention.

Au second chapitre, il ne fait quasi que redire, en d'autres termes, ce qu'il a dit au premier ; et il ajoute que seulement ce qu'on estime communément être bien, ne l'est pas.

Puis, au troisième, après avoir encore usé de beaucoup de mots superflus, il dit enfin son opinion touchant le souverain bien : à savoir que *rerum naturæ assentitur*, et que *ad illius legem exemplumque formari sapientia est*, et que *beata vita est conveniens naturæ*

---

1. Nous guérirons à la seule condition de nous distinguer de la multitude.

suæ [1]. Toutes lesquelles explications me semblent fort obscures ; car sans doute que, par la nature, il ne veut pas entendre nos inclinations naturelles, vu qu'elles nous portent ordinairement à suivre la volupté, contre laquelle il dispute ; mais la suite de son discours fait juger que, par *rerum naturam*, il entend l'ordre établi de Dieu en toutes les choses qui sont au monde, et que, considérant cet ordre comme infaillible et indépendant de notre volonté, il dit que : *rerum naturæ assentitur et ad illius legem exemplumque formari sapienta est*, c'est-à-dire que c'est sagesse d'acquiescer à l'ordre des choses, et de faire ce pourquoi nous croyons être nés ; ou bien, pour parler en Chrétien, que c'est sagesse de se soumettre à la volonté de Dieu, et de la suivre en toutes nos actions ; et que *beata vita est conveniens naturæ suæ*, c'est-à-dire que la béatitude consiste à suivre ainsi l'ordre du monde, et prendre en bonne part toutes les choses qui nous arrivent. Ce qui n'en explique presque rien, et on ne voit pas assez la connexion avec ce qu'il ajoute incontinent après, que cette béatitude ne peut arriver, *nisi sana mens est* [2], etc., si ce

---

1. Se régler sur la nature. Se plier à sa loi et à son exemple, voilà la sagesse. La vie heureuse, c'est donc celle qui est en accord avec sa propre nature.
2. Si l'esprit n'est sain.

n'est qu'il entende aussi que *secundum naturam vivere,* c'est vivre suivant la vraie raison.

Au quatrième et cinquième chapitre, il donne quelques autres définitions du souverain bien, qui ont toutes quelque rapport avec le sens de la première, mais aucune desquelles ne l'explique suffisamment ; et elles font paraître, par leur diversité, que Sénèque n'a pas clairement entendu ce qu'il voulait dire, car, d'autant qu'on conçoit mieux une chose, d'autant est-on plus déterminé à ne l'exprimer qu'en une seule façon. Celle où il me semble avoir le mieux rencontré, est au cinquième chapitre, où il dit que *beatus est qui nec cupit nec timet beneficio rationis,* et que *beata vita est in recto certoque judicio stabilita* [1]. Mais pendant qu'il n'enseigne point les raisons pour lesquelles nous ne devons rien craindre ni désirer, tout cela nous aide fort peu.

Il commence, en ces mêmes chapitres, à disputer contre ceux qui mettent la béatitude en la volupté, et il continue dans les suivants. C'est pourquoi, avant que de les examiner, je dirai ici mon sentiment touchant cette question.

Je remarque, premièrement, qu'il y a de la différence entre la béatitude, le souverain bien et la

---

1. Heureux celui qui est exempt de désirs et de craintes grâce aux bienfaits de la raison. La vie heureuse se fonde alors invariablement sur un jugement droit et assuré.

dernière fin ou le but auquel doivent tendre nos actions : car la béatitude n'est pas le souverain bien ; mais elle le présuppose, et elle est le contentement ou la satisfaction d'esprit qui vient de ce qu'on le possède. Mais, par la fin de nos actions, on peut entendre l'un et l'autre ; car le souverain bien est sans doute la chose que nous nous devons proposer pour but en toutes nos actions, et le contentement d'esprit qui en revient, étant l'attrait qui fait que nous le recherchons, est aussi à bon droit nommé notre fin.

Je remarque, outre cela, que le mot volupté a été pris en autre sens par Épicure que par ceux qui ont disputé contre lui. Car tous ses adversaires ont restreint la signification de ce mot aux plaisirs des sens ; et lui, au contraire, l'a étendue à tous les contentements de l'esprit, comme on peut aisément juger de ce que Sénèque et quelques autres ont écrit de lui.

Or il y a eu trois principales opinions, entre les Philosophes païens, touchant le souverain bien et la fin de nos actions, à savoir : celle d'Épicure, qui a dit que c'était la volupté ; celle de Zénon, qui a voulu que ce fût la vertu ; et celle d'Aristote, qui l'a composé de toutes les perfections, tant du corps que de l'esprit. Lesquelles trois opinions peuvent, ce me semble, être reçues pour vraies et accordées entre elles, pourvu qu'on les interprète favorablement.

Car Aristote ayant considéré le souverain bien detoute la nature humaine en général, c'est-à-dire celui que peut avoir le plus accompli de tous les hommes, il a eu raison de le composer de toutes les perfections dont la nature humaine est capable ; mais cela ne sert point à notre usage.

Zénon, au contraire, a considéré celui que chaque homme en son particulier peut posséder ; c'est pourquoi il a eu aussi très bonne raison de dire qu'il ne consiste qu'en la vertu, pour ce qu'il n'y a qu'elle seule, entre les biens que nous pouvons avoir, qui dépende entièrement de notre libre arbitre. Mais il a représenté cette vertu si sévère et si ennemie de la volupté, en faisant tous les vices égaux, qu'il n'y a eu, ce me semble, que des mélancoliques, ou des esprits entièrement détachés du corps, qui aient pu être de ses sectateurs.

Enfin Épicure n'a pas eu tort, considérant en quoi consiste la béatitude, et quel est le motif, ou la fin à laquelle tendent nos actions, de dire que c'est la volupté en général, c'est-à-dire le contentement de l'esprit ; car, encore que la seule connaissance de notre devoir nous pourrait obliger à faire de bonnes actions, cela ne nous ferait toutefois jouir d'aucune béatitude, s'il ne nous en revenait aucun plaisir. Mais pour ce qu'on attribue souvent le nom de volupté à de faux plaisirs, qui sont accompagnés ou suivis d'inquiétude, d'ennuis et de repentirs, plusieurs ont cru que cette opinion d'Épicure enseignait le vice ; et, en effet, elle n'enseigne pas la vertu. Mais comme lorsqu'il y a quelque part un prix pour tirer au blanc, on fait avoir envie d'y tirer à ceux à qui on montre ce prix, mais ils ne le peuvent gagner pour cela, s'ils ne voient le blanc, et que ceux qui voient le blanc ne sont pas pour cela induits à tirer, s'ils ne savent qu'il y ait un prix à gagner : ainsi la vertu, qui est le blanc, ne se fait pas fort désirer, lorsqu'on la voit toute seule ; et le contentement, qui est le prix, ne peut être acquis, si ce n'est qu'on la suive.

C'est pourquoi je crois pouvoir ici conclure que la béatitude ne consiste qu'au contentement de l'esprit, c'est-à-dire au contentement en général ; car bien qu'il y ait des contentements qui dépendent du corps, et des autres qui n'en dépendent point, il n'y en a toutefois aucun que dans l'esprit : mais que, pour avoir un contentement qui soit solide, il est besoin de suivre la vertu, c'est-à-dire d'avoir une volonté ferme et constante d'exécuter tout ce que nous jugerons être le meilleur, et d'employer toute la force de notre entendement à en bien juger. Je réserve pour une autre fois à considérer ce que Sénèque a écrit de ceci ; car ma lettre est déjà trop longue, et il ne m'y reste qu'autant de place qu'il faut pour écrire que je suis,

Madame,
de Votre Altesse,
Le très humble et très obéissant serviteur,

Descartes

ÉLISABETH A DESCARTES

La Haye, août 1645

Monsieur Descartes,

Je crois que vous aurez déjà vu dans ma dernière du seizième, que la vôtre du quatrième m'a été rendue. Et je n'ai pas besoin d'y ajouter qu'elle m'a donné plus de lumière au sujet qu'elle traite, que tout ce que j'en ai pu lire ou méditer. Vous connaissez trop ce que vous faites, ce que je puis, et avez trop bien examiné ce qu'ont fait les autres, pour en pouvoir douter, quoique par un excès de générosité vous voulez vous rendre ignorant de l'extrême obligation que je vous ai de m'avoir donné une occupation si utile et si agréable comme celle de lire et considérer vos lettres.

Sans la dernière je n'aurais pas si bien entendu ce que Sénèque juge de la béatitude comme je crois faire maintenant. J'ai attribué l'obscurité qui se trouve audit livre, comme en la plupart des anciens, à la façon de s'expliquer toute différente de la nôtre, de ce que les mêmes choses qui sont problématiques parmi nous pouvaient passer pour hypothèses entre eux, et le peu de connexion d'ordre qu'il observe au dessein de s'acquérir des admirateurs en surprenant l'imagination, plutôt que des disciples en informant le jugement ; que Sénèque se servait de bons mots comme les autres de poésies et de fables pour attirer la jeunesse à suivre son opinion.

La façon dont il réfute celle d'Épicure semble appuyer ce sentiment. Il confesse dudit philosophe *quam nos virtuti legem dicimus, eam ille dicit voluptati*[1]. Et un peu devant il dit au nom de ces sectateurs : *ego enim nego quemquam posse jucunde vivere nisi simul et honeste vivat*[2]. D'où il paraît clairement qu'ils donnaient le nom de volupté à la joie et satisfaction de l'esprit, que celui-ci appelle *consequentia summum bonum*. Et néanmoins, dans tout le reste du livre, il parle de cette volupté épicurienne plus en satire qu'en philo-

---

1. Ce que nous appelons la loi de la vertu, lui l'appelle la loi de la volupté.
2. Je nie qu'on puisse vivre dans le plaisir sans vivre honnêtement.

sophe, comme si elle était purement sensuelle. Mais je lui en veux beaucoup de bien, depuis que cela est cause que vous avez pris le soin d'expliquer leurs opinions et réconcilier leurs différends mieux qu'ils n'auraient su faire, et d'ôter par là une puissante objection contre la recherche de ce souverain bien, que pas un de ces grands esprits n'ont pu définir, et contre l'autorité de la raison humaine, puisqu'elle n'a point éclairé ces excellents personnages en la connaissance de ce qui leur était le plus nécessaire et le plus à cœur.

J'espère que vous continuerez, de ce que Sénèque a dit ou de ce qu'il devait dire, à m'enseigner les moyens de fortifier l'entendement pour juger du meilleur en toutes les actions de la vie, qui me semble être la seule difficulté ; puisqu'il est impossible de ne point suivre le bon chemin quand il est connu.

Ayez encore, je vous prie, la franchise de me dire si j'abuse de votre bonté en demandant trop de votre loisir pour la satisfaction de votre très affectionnée amie à vous servir,

Élisabeth

DESCARTES A ÉLISABETH

Egmond, 1er septembre 1645

Madame,

Étant dernièrement incertain si Votre Altesse était à La Haye ou à Rhenest, j'adressai ma lettre par Leyde, et celle que vous m'avez fait l'honneur de m'écrire ne me fut rendue qu'après que le messager qui l'avait apportée à Alcmar fut parti, ce qui m'a empêché de vous pouvoir témoigner plus tôt combien je suis glorieux de ce que le jugement que j'ai fait du livre que vous avez pris la peine de lire n'est pas différent du vôtre, et que ma façon de raisonner vous paraît assez naturelle. Je m'assure que si vous aviez eu le loisir de penser autant que j'ai fait aux choses dont il traite, je ne pourrais rien écrire que vous n'eussiez mieux remarqué que moi ; mais pource que l'âge, la naissance et les occupations de Votre Altesse ne l'ont pu permettre, peut-être que ce que j'écris pourra servir à vous épargner un peu de temps, et que mes fautes mêmes vous fourniront des occasions pour remarquer la vérité.

Comme lorsque j'ai parlé d'une béatitude qui dépend entièrement de notre libre arbitre, et que tous les hommes peuvent acquérir sans aucune assistance d'ailleurs, vous remarquez fort bien qu'il y a des maladies qui, ôtant le pouvoir de raisonner, ôtent aussi celui de jouir d'une satisfaction d'esprit raisonnable ; et cela m'apprend que ce que j'avais dit généralement de tous les hommes ne doit être entendu que de ceux qui ont l'usage libre de leur raison, et avec cela qui savent le chemin qu'il faut tenir pour parvenir à cette béatitude. Car il n'y a personne qui ne désire se rendre heureux, mais plusieurs n'en savent pas le moyen, et souvent l'indisposition qui est dans le corps empêche que la volonté ne soit libre ; comme il arrive aussi quand nous dormons ; car le plus philosophe du monde ne saurait s'empêcher d'avoir de mauvais songes, lorsque son tempérament l'y dispose.

Toutefois l'expérience fait voir que si l'on a eu souvent quelque pensée pendant qu'on a eu l'esprit en liberté, elle revient encore après, quelque indisposition qu'ait le corps. Ainsi je me puis vanter que mes songes ne me représentent jamais rien de fâcheux ; et sans doute qu'on a grand avantage de s'être dès longtemps accoutumé à n'avoir point de tristes pensées. Mais nous ne pouvons répondre absolument de nous-mêmes que pendant que nous sommes à nous, et c'est moins de perdre la vie que de perdre l'usage de la raison ; car, même sans les enseignements de la foi, la seule philosophie naturelle fait espérer à notre âme un état plus heureux après la mort que celui où elle est à présent, et elle ne lui fait rien craindre de plus fâcheux que d'être attachée à un corps qui lui ôte entièrement sa liberté. Pour les autres indispositions qui ne troublent pas tout à fait le sens, mais qui altèrent seulement les humeurs, et font qu'on se trouve extraordinairement enclin à la tristesse ou à la colère, ou à quelque autre passion, elles donnent sans doute de la peine ; mais elles peuvent pourtant être surmontées, et même elles donnent matière à l'âme d'une satisfaction d'autant plus grande qu'elles ont été plus difficiles à vaincre.

Je crois aussi le semblable de tous les empêchements de dehors, comme de l'éclat d'une grande naissance, des cajoleries de la cour, des adversités de la fortune, et aussi de ses grandes prospérités, lesquelles ordinairement empêchent plus qu'on ne puisse jouer le rôle de philosophe, que ne font ses disgrâces ; car lorsqu'on a toutes choses à souhait, on s'oublie de penser à soi, et quand par après la fortune change, on se trouve d'autant plus surpris qu'on s'était plus fié en elle. Enfin on peut dire généralement qu'il n'y a aucune chose qui nous puisse entièrement ôter le moyen de nous rendre heureux, pourvu qu'elle ne trouble point notre raison, et que ce ne sont pas toujours celles qui paraissent les plus fâcheuses qui nuisent le plus.

Mais afin de savoir exactement combien chaque chose peut contribuer à notre contentement, il faut considérer quelles sont les causes qui le produisent, et c'est aussi l'une des principales connaissances qui peuvent servir à faciliter l'usage de la vertu.

Car toutes les actions de notre âme qui nous acquièrent quelque perfection, sont vertueuses, et tout notre contentement ne consiste qu'au témoignage intérieur que nous avons d'avoir quelque perfection. Ainsi nous ne saurions jamais pratiquer aucune vertu, c'est-à-dire faire ce que notre raison nous persuade que nous devons faire, que nous n'en recevions de la satisfaction et du plaisir. Mais il y a deux sortes de plaisirs, les uns qui appartiennent à l'esprit seul, et les autres qui appartiennent à l'homme, c'est-à-dire à l'esprit en tant qu'il est uni au corps ; et ces derniers se présentant confusément à l'imagination, paraissent souvent beaucoup plus grands qu'ils ne sont, principalement avant qu'on les possède, ce qui est la source de tous les maux et de toutes les erreurs de la vie. Car, selon la règle de la raison, chaque plaisir se devrait mesurer par la grandeur de la perfection qui le produit, et c'est ainsi que nous mesurons ceux dont les causes nous sont clairement connues ; mais souvent la passion nous fait croire certaines choses beaucoup meilleures et plus désirables qu'elles ne sont ; puis, quand nous avons pris bien de la peine à les acquérir, et perdu l'occasion de posséder d'autres biens plus véritables, la jouissance nous en fait connaître les défauts. De là viennent les dédains, les regrets et les repentirs.

C'est pourquoi le vrai office de la raison est d'examiner la juste valeur de tous les biens dont l'acquisition semble dépendre en quelque façon de notre conduite, afin que nous ne manquions jamais d'employer tous nos soins à tâcher de nous procurer ceux qui sont en effet les plus désirables : en quoi si la fortune s'oppose à nos desseins, et les empêche de réussir, nous aurons au moins la satisfaction de n'avoir rien perdu par notre faute, et ne laisserons pas de jouir de toute la béatitude naturelle dont l'acquisition aura été en notre pouvoir.

Ainsi par exemple, la colère peut quelquefois exciter en nous des désirs de vengeance si violents, qu'elle nous fera imaginer plus de plaisir à châtier notre ennemi qu'à conserver notre honneur ou notre vie, et nous fera exposer imprudemment l'un et l'autre pour ce sujet ; au lieu que si la raison examine quel est le bien ou la perfection sur laquelle est fondé ce plaisir qu'on tire de la vengeance, elle n'en trouvera aucune autre (au moins quand cette vengeance ne sert point pour empêcher qu'on ne nous offense derechef), sinon que cela nous fait imaginer que nous avons quelque sorte de supériorité et quelque avantage au-dessus de celui dont nous nous vengeons ; ce qui n'est souvent qu'une vaine imagination qui ne mérite point d'être estimée, à comparaison de l'honneur ou de la vie, ni même à comparaison de la satisfaction qu'on aurait de se voir maître de sa colère, en s'abstenant de se venger. Et le semblable arrive en toutes les autres passions : car il n'y en a aucune qui ne nous représente le bien auquel elle tend avec plus d'éclat qu'il n'en mérite, et qui ne nous fasse imaginer des plaisirs beaucoup plus grands, avant que nous les possédions, que nous ne les trouvons par après quand nous les avons.

Ce qui fait qu'on blâme communément la volupté, pource qu'on ne se sert de ce mot que pour signifier de faux plaisirs, qui nous trompent souvent par leur apparence, et qui nous en font cependant négliger d'autres beaucoup plus solides, mais dont l'attente ne touche pas tant, tels que sont ordinairement ceux de l'esprit seul. Je dis, ordinairement, car tous ceux de l'esprit ne sont pas louables, pource qu'ils peuvent être fondés sur quelque fausse opinion, comme le plaisir qu'on prend à médire, qui n'est fondé que sur ce qu'on pense devoir être d'autant plus estimé que les autres le seront moins ; et ils nous peuvent aussi tromper par leur apparence, lorsque quelque forte passion les accompagne, comme on voit en celui que donne l'ambition. Mais la principale différence qui est entre les plaisirs du corps et ceux de l'esprit, consiste en ce que le corps étant sujet à un changement perpétuel, et même sa conservation et son bien-être dépendant de ce changement, tous les plaisirs qui le regardent ne durent guère, car ils ne procèdent que de l'acquisition de quelque chose qui est utile au corps au moment qu'on la reçoit, et sitôt qu'elle cesse de lui être utile, ils cessent aussi ; au lieu que ceux de l'âme peuvent être immortels comme elle, pourvu qu'ils aient un fondement si solide, que ni la connaissance de la vérité, ni aucune fausse persuasion ne le détruisent.

Au reste le vrai usage de notre raison pour la conduite de la vie ne consiste qu'à examiner et considérer sans passion la valeur de toutes les perfections, tant du corps que de l'esprit, qui peuvent être acquises par notre industrie, afin qu'étant ordinairement obligés de nous priver de quelques-unes pour avoir les autres, nous choisissions toujours les meilleures ; et pource que celles du corps sont les moindres, on peut dire généralement que sans elles, il y a moyen de se rendre heureux.

Toutefois je ne suis point d'opinion qu'on les doive entièrement mépriser, ni même qu'on doive s'exempter d'avoir des passions ; Il suffit qu'on les rende sujettes à la raison ; et lorsqu'on les a ainsi apprivoisées, elles sont quelquefois d'autant plus utiles qu'elles penchent plus vers l'excès. Je n'en aurai jamais de plus excessive que celle qui me porte au respect et à la vénération que je dois à Votre Altesse,

de qui je suis le très humble et très obéissant serviteur,

Descartes

ÉLISABETH A DESCARTES

La Haye, 13 septembre 1645

Monsieur Descartes,

Si ma conscience demeurait satisfaite des prétextes que vous donnez à mon ignorance, comme des remèdes, je lui aurais beaucoup d'obligation et serais exempte du repentir d'avoir si mal employé le temps auquel j'ai joui de l'usage de la raison, qui m'a été d'autant plus long qu'à d'autres de mon âge, que ma naissance et ma fortune me forcèrent d'employer mon jugement de meilleure heure pour la conduite d'une vie assez pénible et libre des prospérités qui ne pouvaient empêcher de songer à moi, comme de la sujétion qui m'obligerait à m'en fier à la prudence d'une gouvernante.

Ce ne sont pas toutefois ces prospérités, ni les flatteries qui les accompagnent, que je crois absolument capables d'ôter la fortitude d'esprit aux âmes bien nées et les empêcher de recevoir le changement de fortune en philosophe. Mais je me persuade que la multitude d'accidents qui surprennent les personnes gouvernant le public, sans leur donner le temps d'examiner l'expédient le plus utile, les porte souvent (quelque vertueux qu'ils soient) à faire des actions qui causent après, le repentir, que vous dites être un des principaux obstacles de la béatitude.

Il est vrai qu'une habitude d'estimer les biens selon qu'ils peuvent contribuer au contentement, de mesurer ce contentement selon les perfections qui font naître les plaisirs, et de juger sans passion de ces perfections et de ces plaisirs, les garantira de quantité de fautes. Mais pour estimer ainsi les biens, il faut les reconnaître parfaitement, et pour connaître tous ceux dont on est contraint de faire choix dans une vie active, il faudrait posséder une science infinie. Vous direz qu'on ne laisse pas d'être satisfait quand la conscience témoigne qu'on s'est servi de toutes les précautions possibles. Mais cela n'arrive jamais lorsqu'on ne trouve point son compte. Car on se ravise toujours de choses qui restaient à considérer. Pour mesurer le contentement selon la perfection qui le cause, il faudrait voir clairement la valeur de chacune, si celles qui ne servent qu'à nous ou celles qui nous rendent encore utiles aux autres sont préférables. Ceux-ici semblent être estimés avec excès d'une humeur qui se tourmente pour autrui, et ceux-là de celui qui ne vit que pour soi-même. Et néanmoins chacun d'eux appuie son inclination de raisons assez fortes pour la faire continuer toute sa vie.

Il est ainsi des autres perfections du corps et de l'esprit qu'un sentiment tacite fait approuver à la raison, qui ne se doit appeler passion parce qu'il est né avec nous. Dites-moi donc, s'il vous plaît, jusqu'où il le faut suivre (étant un don de nature), et comment le corriger.

Je vous voudrais encore voir définir les passions pour les bien connaître, car ceux qui les nomment perturbations de l'âme, me persuaderaient que leur force ne consiste qu'à éblouir et soumettre la raison, si l'expérience ne me montrait qu'il y en a qui nous portent aux actions raisonnables. Mais je m'assure que vous m'y donnerez plus de lumière, quand vous expliquerez comment la force des passions les rend d'autant plus utiles, lorsqu'elles sont sujettes à la raison.

Je recevrai cette faveur à Ryswick où nous allons demeurer jusqu'à ce que cette maison-ici soit nettoyée, en celle du prince d'Orange, mais vous n'avez point besoin de changer pour cela l'adresse de vos lettres à votre très affectionnée amie à vous servir,

Élisabeth

DESCARTES A ÉLISABETH

Egmond, 15 septembre 1645

Madame,

Votre Altesse a si exactement remarqué toutes les causes qui ont empêché Sénèque de nous exposer clairement son opinion touchant le souverain bien, et vous avez pris la peine de lire son livre avec tant de soin, que je craindrais de me rendre importun, si je continuais ici à examiner par ordre tous ses chapitres, et que cela me fît différer de répondre à la difficulté qu'il vous a plu me proposer, touchant les moyens de se fortifier l'entendement pour discerner ce qui est le meilleur en toutes les actions de la vie.

C'est pourquoi, sans m'arrêter maintenant à suivre Sénèque, je tâcherai seulement d'expliquer mon opinion touchant cette matière.

Il ne peut, ce me semble, y avoir que deux choses qui soient requises pour être toujours disposé à bien juger : l'une est la connaissance de la vérité, et l'autre l'habitude qui fait qu'on se souvient et qu'on acquiesce à cette connaissance, toutes les fois que l'occasion le requiert. Mais, pour ce qu'il n'y a que Dieu seul qui sache parfaitement toutes choses, il est besoin que nous nous contentions de savoir celles qui sont le plus à notre usage.

Entre lesquelles, la première et la principale est qu'il y a un Dieu, de qui toutes choses dépendent, dont les perfections sont infinies, dont le pouvoir est immense, dont les décrets sont infaillibles : car cela nous apprend à recevoir en bonne part toutes les choses qui nous arrivent, comme nous étant expressément envoyées de Dieu ; et pour ce que le vrai objet de l'amour est la perfection, lorsque nous élevons notre esprit à le considérer tel qu'il est, nous nous trouvons naturellement si enclins à l'aimer, que nous tirons même de la joie de nos afflictions, en pensant que sa volonté s'exécute en ce que nous les recevons.

La seconde chose, qu'il faut connaître, est la nature de notre âme, en tant qu'elle subsiste dans le corps, et est beaucoup plus noble que lui, et capable de jouir d'une infinité de contentements qui ne se trouvent point en cette vie : car cela nous empêche de craindre la mort, et détache tellement notre affection des choses du monde, que nous ne regardons qu'avec mépris tout ce qui est au pouvoir de la fortune.

A quoi peut aussi beaucoup servir qu'on juge dignement des œuvres de Dieu, et qu'on ait cette vaste idée de l'étendue de l'univers, que j'ai tâché de faire concevoir au 3ᵉ livre de mes *Principes* : car si on s'imagine qu'au-delà des cieux il n'y a rien que des espaces imaginaires, et que tous ces cieux ne sont faits que pour le service de la terre, ni la terre que pour l'homme, cela fait qu'on est enclin à penser que cette terre est notre principale demeure, et cette vie notre meilleure ; et qu'au lieu de connaître les perfections qui sont véritablement en nous, on attribue aux autres créatures des imperfections qu'elles n'ont pas, pour s'élever au-dessus d'elles, et entrant en une présomption impertinente, on veut être du conseil de Dieu, et prendre avec lui la charge de conduire le monde, ce qui cause une infinité de vaines inquiétudes et fâcheries.

Après qu'on a ainsi reconnu la bonté de Dieu, l'immoralité de nos âmes et la grandeur de l'univers, il y a encore une vérité dont la connaissance me semble fort utile : qui est que, bien que chacun de nous soit une personne séparée des autres, et dont, par conséquent, les intérêts sont en quelque façon distincts de ceux du reste du monde, on doit toutefois penser qu'on ne saurait subsister seul, et qu'on est, en effet, l'une des parties de l'univers, et plus particulièrement encore l'une des parties de cette terre, l'une des parties de cet État, de cette société, de cette famille, à laquelle on est joint par sa demeure, par son serment, par sa naissance. Et il faut toujours préférer les intérêts du tout, dont on est partie, à ceux de sa personne en particulier ; toutefois avec mesure et discrétion, car on aurait tort de s'exposer à un grand mal, pour procurer seulement un petit bien à ses parents ou à son pays ; et si un homme vaut plus, lui seul, que tout le reste de sa ville, il n'aurait pas raison de se vouloir perdre pour la sauver. Mais si on rapportait tout à soi-même, on ne craindrait pas de nuire beaucoup aux autres hommes, lorsqu'on croirait en retirer quelque petite commodité, et on n'aurait aucune vraie amitié, ni aucune fidélité, ni généralement aucune vertu ; au lieu qu'en se considérant comme une partie du public, on prend plaisir à faire du bien à tout le monde, et même on ne craint pas d'exposer sa vie pour le service d'autrui, lorsque l'occasion s'en présente ; voire on voudrait perdre son âme, s'il se pouvait, pour sauver les autres. En sorte que cette considération est la source et l'origine de toutes les plus héroïques actions que fassent les hommes ; car pour ceux qui s'exposent à la mort par vanité, pour ce qu'ils espèrent en être loués, ou par stupidité, pour ce qu'ils n'appréhendent pas le danger, je crois qu'ils sont plus à plaindre qu'à priser. Mais, lorsque quelqu'un s'y expose, pour ce qu'il croit que c'est de son devoir, ou bien lorsqu'il souffre quelque autre mal, afin qu'il en revienne du bien aux autres, encore qu'il ne considère peut-être pas avec réflexion qu'il fait cela pour ce qu'il doit plus au public, dont il est partie, qu'à soi-même en son particulier, il le fait toutefois en vertu de cette considération, qui est confusément en sa pensée. Et on est naturellement porté à l'avoir, lorsqu'on connaît et qu'on aime Dieu comme il faut : car alors, s'abandonnant du tout à sa volonté, on se dépouille de ses propres intérêts, et on n'a point d'autre passion que de faire ce qu'on croit lui être agréable ; en suite de quoi on a des satisfactions d'esprit et des contentements, qui valent incomparablement davantage que toutes les petites joies passagères qui dépendent des sens.

Outre ces vérités, qui regardent en général toutes nos actions, il en faut aussi savoir plusieurs autres, qui se rapportent plus particulièrement à chacune d'elles. Dont les principales me semblent être celles que j'ai remarquées en ma dernière lettre : à savoir que toutes nos passions nous représentent les biens, à la recherche desquels elles nous incitent, beaucoup plus grands qu'ils ne sont véritablement ; et que les plaisirs du corps ne sont jamais si durables que ceux de l'âme, ni si grands, quand on les possède, qu'ils paraissent, quand on les espère. Ce que nous devons soigneusement remarquer, afin que, lorsque nous nous sentons émus de quelque passion, nous suspendions notre jugement, jusques à ce qu'elle soit apaisée ; et que nous ne nous laissions pas aisément tromper par la fausse apparence des biens de ce monde.

A quoi je ne puis ajouter autre chose, sinon qu'il faut aussi examiner en particulier toutes les mœurs des lieux où nous vivons, pour savoir jusques où elles doivent être suivies. Et bien que nous ne puissions avoir des démonstrations certaines de tout, nous devons néanmoins prendre parti, et embrasser les opinions qui nous paraissent les plus vraisemblables, touchant toutes les choses qui viennent en usage, afin que, lorsqu'il est question d'agir, nous ne soyons jamais irrésolus. Car il n'y a que la seule irrésolution qui cause les regrets et les repentirs.

Au reste, j'ai dit ci-dessus qu'outre la connaissance de la vérité, l'habitude est aussi requise, pour être toujours disposé à bien juger. Car, d'autant que nous ne pouvons être continuellement attentifs à même chose, quelque claires et évidentes qu'aient été les raisons qui nous ont persuadé ci-devant quelque vérité, nous pouvons, par après, être détournés de la croire par de fausses apparences, si ce n'est que, par une longue et fréquente méditation, nous l'ayons tellement imprimée en notre esprit, qu'elle soit tournée en habitude. Et en ce sens on a raison, dans l'École, de dire que les vertus sont des habitudes ; car, en effet, on ne manque guère, faute d'avoir, en théorie, la connaissance de ce qu'on doit faire, mais seulement faute de l'avoir en pratique, c'est-à-dire faute d'avoir une ferme habitude de le croire. Et pour ce que, pendant que j'examine ici ces vérités, j'en augmente aussi en moi l'habitude, j'ai particulièrement obligation à Votre Altesse, de ce qu'elle permet que je l'en entretienne, et il n'y a rien en quoi j'estime mon loisir mieux employé, qu'en ce où je puis témoigner que je suis,

> Madame,
> de Votre Altesse,
> le très humble et très obéissant serviteur,

> Descartes

Lorsque je fermais cette lettre, j'ai reçu celle de V. A. du 13 ; mais j'y trouve tant de choses à considérer, que je n'ose entreprendre d'y répondre sur-le-champ, et je m'assure que V. A. aimera mieux que je prenne un peu de temps pour y penser.

TABLE

ACHEVÉ   D'IMPRIMER
EN   AVRIL   2003
SUR LES PRESSES DE
CORLET   IMPRIMEUR
À CONDÉ-SUR-NOIREAU
C A L V A D O S

Numéro   d'éditeur :   0228
Numéro d'imprimeur : 70529
Dépôt   légal :   avril   2003
Imprimé   en   France